Das Buch

Herta und Kurt Köb[...]um
ersten Mal aus Deut[...]
zem in Südamerika[...]rt
genießen sie den Lux[...]e-
gersohns. Sie wunder[...]n-
mauer um das herrlich[...]nsten Viertel
der Stadt, über die Gla[...]ben auf der Mauer, die Hunde im Zwinger und die eindringliche Warnung des
Chauffeurs, niemanden in die Villa zu lassen, als das junge Ehepaar für ein paar Tage nach Florida reist und zu-
fällig auch alle Hausangestellten übers Wochenende
abwesend sind. Aber wie viele Europäer, die als Touri-
sten in Länder der Dritten Welt kommen, sind auch die
Köberles über die politischen und sozialen Strukturen,
über den wachsenden Gegensatz von Arm und Reich nur
unzulänglich informiert. Als Herta Köberle aus Mitleid
ein bettelndes kleines Mädchen ins Haus läßt, bahnt sich
die Katastrophe an ...

Die Autorin

Gudrun Pausewang wurde am 3. März 1928 in Wich-
stadtl in Böhmen geboren, wo ihre Eltern bereits in den
zwanziger Jahren den Traum vom alternativen Leben
verwirklichen wollten. 1956 ging sie nach Lateinamerika
und unterrichtete an deutschen Schulen in Chile, Vene-
zuela und Kolumbien. 1972 Rückkehr nach Deutschland,
seitdem Lehrerin in der Nähe von Fulda. Einige Werke:
›Guadalupe‹ (1970), ›Aufstieg und Untergang der Insel
Delfina‹ (1973), ›Karneval und Karfreitag‹ (1976), ›Wie
gewaltig kommt der Fluß daher‹ (1978), ›Rosinkawiese‹
(1980), ›Die Freiheit des Ramon Acosta‹ (1981), ›Die letzten Kinder von Schewenborn‹ (1983), ›Pepe Amado‹
(1986), ›Die Wolke‹ (1987).

Gudrun Pausewang:
Kinderbesuch
Roman

Deutscher
Taschenbuch
Verlag

Von Gudrun Pausewang
sind im Deutschen Taschenbuch Verlag erschienen:
Die Freiheit des Ramon Acosta (10122)
Guadalupe (10788)
Der Weg nach Tongay (10854)
Pepe Amado (11088)

Ungekürzte Ausgabe
1. Auflage Dezember 1986
Deutscher Taschenbuch Verlag GmbH & Co. KG,
München
© 1984 Arche Verlag AG, Raabe + Vitali, Zürich
ISBN 3-7160-2013-3
Umschlaggestaltung: Celestino Piatti
Gesamtherstellung: C. H. Beck'sche Buchdruckerei,
Nördlingen
Printed in Germany · ISBN 3-423-10676-X
5 6 7 8 9 10 · 94 93 92 91 90 89

– – – Und es sind zwei Sprachen oben und unten
und zwei Maße zu messen
und was Menschengesicht trägt
kennt sich nicht mehr.
Bert Brecht,
›Die heilige Johanna der Schlachthöfe‹

Es wird auf die Dauer nicht möglich sein,
Wohlstand für Wenige
gegen die Armut der Vielen zu verteidigen.
Peter Atteslander

An einem Freitagmorgen – zwei Tage vor den Geschehnissen auf dem Anwesen des Maklers Ernesto Rocas Lobos, die die Bewohner des vornehmsten Viertels der Stadt bis in ihre Träume hinein ängstigen sollten – frühstückten Don Ernestos Schwiegereltern, zu Besuch aus Deutschland, auf der Gartenterrasse der Villa. Sie frühstückten allein. Tochter und Schwiegersohn waren am Vortag nach Miami geflogen.

Noch voller Staunen über den Luxus im Hause Rocas Lobos genossen sie die ständige Beflissenheit des Personals, die Großzügigkeit von Villa und Garten, den reichgedeckten Tisch. Damals, in Deutschland, hatten sie ihre Tochter nur widerwillig einen Studenten der Wirtschaftswissenschaft heiraten lassen, einen Ausländer, einen exotisch wirkenden Südamerikaner, über dessen familiäre und finanzielle Verhältnisse sie nur Vermutungen hatten anstellen können. Nun aber erkannten sie, daß ihre Tochter die Frau eines der reichsten Männer der Stadt geworden war.

»Nein, hier fehlt es an nichts, Kurt«, sagte Herta Köberle. »Gut, daß wir Jutta diese Partie nicht ausgeredet haben.«

»Mich hat damals erst der Mercedes überzeugt«, antwortete Kurt Köberle. »Als Student konnte er sich einen Mercedes leisten – und nicht etwa einen aus zweiter Hand!«

»Dabei ist der Wagen nichts gegen diese Villa und alle die Reisen«, sagte sie lebhaft. »Man muß sich das mal vorstellen: Wann immer sie Lust haben, fliegen sie in die Staaten und amüsieren sich dort!«

»Diesmal nicht«, seufzte er.

»Unsinn, diese Sorge«, sagte sie. »Nach Thomas sollte ich auch kein Kind mehr bekommen können, und sieben Jahre später kam Jutta. Sie sind doch erst zwei Jahre verheiratet. Und Jutta ist noch jung. Da kann noch viel werden.«

Schweigend frühstückten sie weiter, bis Kurt Köberle sagte: »Ich hätte wirklich Lust, ihre Einladung anzunehmen. Dann bliebe uns drüben der Winter erspart.«

»Ich habe auch schon darüber nachgedacht«, sagte sie.

7

»Heute sind wir den fünften Tag hier. Unser Visum hat drei Monate Gültigkeit. Wenn ich Frau Bloch nun schriebe, daß sie unsere Wohnung regelmäßig lüften und die Blumen gießen soll? Thomas kann uns ja die Post nachschicken. Ich fühle mich hier wie im Paradies. Du auch?«

Während die junge indianische Köchin den Tisch abräumte, schlenderten sie hinab in den Garten. Die Luft war noch kühl, aber schon begannen die Mücken zu schwärmen. Auf die Krone des kleinen Goldregenbaums vor der Terrasse fiel die Sonne. Seine gelben Blütenkaskaden leuchteten.

Plötzlich blieb Kurt Köberle stehen und lauschte.

»Hörst du? Stimmen. Ganz leise Musik. Dort vom Meer her.«

Sie hörte nichts.

»Vom Meer her?« fragte sie. »Unmöglich. Es muß aus der Nachbarschaft kommen.«

Aber in der Villa nebenan wohnte zur Zeit niemand, das hatten sie von Ernesto erfahren. Sie stand zum Verkauf. Und der Nachbar auf der anderen Seite bereiste mit seiner Familie Europa. Nur ein Gärtner hütete das Haus.

»Ist ja auch egal«, sagte sie. »Uns geht das jedenfalls nichts an.« Auf ihre künstlich geblondeten Locken fiel jetzt die Sonne. Sie hob ihr schmales Gesicht, auf dem sich schon Falten und Tränensäcke abzuzeichnen begannen. Von den Flügeln der scharfgeschnittenen Nase fielen tiefe Furchen durch die flaumige Haut zu den Mundwinkeln. Die braunen Augen blinzelten in den Himmel.

»Ist das nicht ein Aasgeier?« fragte sie überrascht. »Aber wo ist das Aas?«

Er überhörte ihre Frage. Statt dessen sagte er: »Wir sollten dem Personal zu verstehen geben, daß das Haus auch ohne Ernesto nicht herrenlos ist. Hast du heute eigentlich den Gärtner schon gesehen?«

»Du meinst Victor, den Chauffeur? Ja, er hat schon vor Sonnenaufgang den Rasen gesprengt. Ich war früh wach.«

Sie blieben beim Schwimmbad stehen und betrachteten die Villa, deren Dach in der Morgensonne schimmerte. Herta Köberle fand die Gitter vor den Fenstern häßlich. Auch die Gartenmauer störte sie.

»Wenn schon eine Mauer«, meinte sie, »warum dann so hoch, und noch dazu mit Glassplittern gespickt? Bei uns daheim in Koblenz kann man sich über den Zaun hinweg sehen und unterhalten.«

»Ernesto wird sich schon was dabei gedacht haben«, sagte er. »Vielleicht soll sie ein Schutz gegen Straßenlärm und Hundegebell sein.«

»Aber Ernestos Hunde bellen am lautesten, und die sind *innerhalb* der Mauer. Und was gibt's denn schon für Lärm auf so einer Villenstraße wie hier?«

Sie warfen zwei lange Schatten auf den Rasen. Meistens überdeckte der breite den schmalen: Kurt Köberle war einen Kopf größer als seine Frau und doppelt so schwer. Seine Glatze glänzte. Ein Haarkranz von Ohr zu Ohr plusterte sich über dem Stiernacken. Das Gesicht des Mannes: schmale Lippen zwischen gekerbtem Kinn und fleischiger Nase, rundliche, rosige Wangen, blaue Augen unter buschigen grauen Brauen. Was an ihm auffiel, waren die hellen Wimpern und die mit Sommersprossen übersäte Haut. Und ein erfahrener Arzt hätte ihm auch sein gefährdetes Herz angesehen. Wegen dieses Herzens war Kurt Köberle vorzeitig pensioniert worden. Er durfte sich nicht aufregen. Sein Hausarzt hatte ihn nur ungern reisen lassen.

Sie spazierten bis ans andere Ende des Gartens. Dort hatte die Mauer nur noch die Höhe einer Brüstung. Unter ihr fiel eine Felswand steil ab und gab den Blick frei auf das Meer. Der ferne Horizont verbarg sich in leichtem Dunst. Auf der blaugrünen, glitzernden Fläche kreuzten Boote, Segler und Jachten. Frachter zogen vorüber. Möwen kreischten.

»Was hat Jutta doch für Glück gehabt, ein so herrliches Stück Erde zu bekommen!« rief sie überwältigt. »Hier oben fühlt man sich richtig über den Dingen.«

»Na ja«, meinte er trocken, »die Aussicht ist zwar imposant, aber zum Fotografieren taugt sie nicht. Himmel und Erde allein, das ist zu wenig, das gibt nichts her. Wir müßten an den Strand hinunter. Aber so ganz sind wir hier oben dem Irdischen doch nicht entrückt. Es riecht nach Zwiebeln.«

Sie schnupperte und nickte.

»Das kann doch nicht aus dem Meer kommen?« fragte sie ratlos.

Sie beugten sich über die Brüstung und spähten hinab.

»Da stehen ja Häuser!« rief sie verblüfft.

»Tatsächlich«, staunte er.

Ihr wurde schwindlig. Sie richtete sich auf.

»Häuser kann man das allerdings nicht nennen«, sagte er.

Zwei Pfahlbauzeilen, dazwischen ein Weg, auf dem kaum zwei Wagen aneinander vorbeikommen konnten. Ein schmaler Strand mit ein paar primitiven Booten. Schwärme von Kindern.

»Wenn ich nur nicht so kurzsichtig wäre«, klagte sie. »Glaubst du, es lohnt sich, die Brille aus dem Haus zu holen?«

Er zuckte die Schultern, dann sagte er: »Nur gut, daß wir so hoch darüber liegen, sonst wär's hier kaum auszuhalten vor Lärm und Gestank.«

»Aber es wäre vielleicht ganz interessant, mal da unten entlangzufahren«, meinte sie. »So was kennt man doch nur aus dem Fernsehen. Glaubst du, das ließe sich machen? Was du für herrliche Dias bekämst: malerische Hütten, exotische Gesichter – und die Farben!«

»Stimmt«, sagte er. »Eine Fotosafari. Das wäre was. Warte, das werden wir gleich haben.«

Unternehmungslustig steuerte er auf den Seitentrakt der Villa zu, wo zwischen Gartenmauer und Garage eingezwängt Victors Kammer lag. Noch ehe er die schmale Tür hinter dem mächtigen, über und über rotblühenden Feuerbaum erreicht hatte, trat Victor mit einer kleinen Verbeugung heraus: ein magerer Mestize mittleren Alters mit glattem Indiohaar und hervorstehenden Backenknochen. Sein Oberkörper war nackt. Auf der linken Wange hatte er eine häßliche Narbe. Auch der linke Arm war zernarbt.

»Was kann ich für Sie tun, Sir?« fragte er in einem flüssigen Karibik-Englisch.

»Wir möchten ausfahren.«

»Sofort«, sagte Victor. »Wenn sich die Herrschaften einen Augenblick gedulden wollen?«

Er verschwand, ließ aber die Tür offenstehen. Im Innern des halbdunklen Raumes pendelte eine Hängematte. Als er wieder erschien, hatte er ein Hemd an. Er verbeugte sich mit ausdruckslosem Gesicht vor Herta Köberle, die inzwischen auch herbeigekommen war, und fragte: »Wohin wünschen die Herrschaften zu fahren?«

»In den Ort dort unten«, sagte Kurt Köberle und zeigte auf die Brüstung.

»Dort fährt man nicht hin, Sir«, sagte Victor und sah ihn starr an.

»Hast du das gehört?« fragte Kurt Köberle seine Frau verblüfft. »Ich vermute, daß er nur in seiner Hängematte weiterdösen möchte.«

»Warum wollen Sie nicht lieber einen Stadtbummel machen?« fragte Victor. »Oder durch den Simón-Bolívar-Park spazieren? Ich fahre Sie auch gern hinaus zu einem der Badestrände. Oder möchten Sie lieber die alte spanische Festung draußen auf der Insel sehen?«

»Also an der Faulheit kann's nicht liegen, Kurt«, sagte sie. »Denn wenn ich ihn richtig verstanden habe, will er uns ja sogar weiter fahren, als wir von ihm verlangt haben.«

»Und warum nicht dorthin?« fragte Kurt Köberle, zu Victor gewandt, und zeigte wieder zur Brüstung hinüber.

»Dort gibt es nichts zu sehen, Sir. Dort leben nur Arme.«

»Gerade *die* wollen wir uns aus der Nähe anschauen«, sagte Kurt Köberle.

»In unserem Land gibt es nämlich keine armen Leute«, fügte seine Frau, freundlich lächelnd, in einem etwas holprigen Englisch hinzu.

Victor warf ihr einen unergründlichen Blick zu und antwortete: »Die Leute dort unten sind den Anblick von Reichen nicht gewohnt. Keiner von denen, die hier oben wohnen, fährt dort hinunter, verstehen Sie? Hier oben liegt das schönste Villenviertel der Stadt. Ich könnte Sie in diesem Viertel herumfahren. Es hat herrliche Gärten –«

»Ich bestehe darauf, daß Sie uns dorthin fahren, wo wir hingefahren werden wollen«, sagte Kurt Köberle scharf.

»Sir«, antwortete Victor, und Herta Köberle sah, daß Schweißperlen auf seine Stirn traten, »ich bin Don Ernesto gegenüber verantwortlich für den Wagen. Es ist ein teurer Wagen. Lehmwege und Schlaglöcher darf man ihm nicht zumuten. Und wenn dieser Wagen vor den Kindern des Viertels dort unten auftaucht, haben sie plötzlich die Hände voller Reißzwecken und Nägel. Die Reißzwecken streuen sie vor die Reifen, mit den Nägeln zerkratzen sie den Lack. Don Ernesto hat mir seinen Wagen anvertraut, ich darf ihn nicht in Gefahr bringen.«

»Er hat so einen merkwürdigen Akzent«, sagte sie. »Mit meinem Schul-Englisch verstehe ich ihn kaum. Kriegst *du* mit, was er meint?«

»Aber, Herta«, sagte er, »schließlich habe ich nach dem Krieg jahrelang bei den Amerikanern gearbeitet! Er behauptet, daß der Wagen dort unten leiden würde. Er sei für ihn verantwortlich.«

»Er will ihn also in Ernestos Interesse schützen«, meinte sie. »Das finde ich rührend. Wir sollten ihn nicht in Konflikte bringen. Warten wir doch, bis Ernesto wiederkommt. Vielleicht fährt er uns selbst einmal durch dieses Viertel am Strand.«

»Also gut«, sagte Kurt Köberle zu Victor, »fahren Sie uns, wohin Sie wollen.«

Die Abfahrt verzögerte sich, denn er mußte noch seine Kamera holen, und seine Frau fand es angebracht, sich umzukleiden, und erschien erst nach geraumer Weile in Hellblau mit Brille und breitrandigem Strohhut.

Victor fuhr sie kreuz und quer durch das Viertel Bellavista: großzügige Villen, breite Alleen und eine Blumenpracht, die Tore und Einfahrten umrahmte und üppige Gärten vermuten ließ.

»Schön, daß wir auch mal diese Gegend in Ruhe kennenlernen«, sagte Herta Köberle. »Jutta und Ernesto sind mit uns immer nur auf dem kürzesten Weg in die Innenstadt gefahren.«

Kurt Köberle antwortete nicht. Er war mit seiner Kamera beschäftigt. Er richtete sie auf ein schwarzes Dienstmädchen in blütenweißer Rüschenschürze und weißen Stöckelschuhen, das zwei Pudel ausführte. Entzückt machte er einen Schnappschuß durch die geschlossene Scheibe, während der Blick seiner Frau ratlos die hohen

Mauern streifte: Auch hier war jeder Garten ummauert wie eine Festung. Schon fiel die Sonne senkrecht durch das Laub der Alleebäume. Lautlos glitt der Wagen dahin. Nur die Klimaanlage rauschte. In fast jeder Straße patrouillierten Polizisten.

»Diese Stadt scheint auf Ordnung zu halten«, stellte Kurt Köberle zufrieden fest.

»Hübsche Kinder gibt es hier«, bemerkte sie. »Und alle so niedlich und sauber gekleidet.«

»Lauter Kinder von Reichen«, sagte er verstimmt. »Was ich so gern vor der Linse hätte, sind Rotznasen in bunten Lumpen. Aber die lassen sich in diesem Viertel nicht finden.«

Plötzlich stutzte er, legte Victor von hinten die Hand auf die Schulter und befahl ihm, anzuhalten. Herta Köberle spähte aus dem Fenster. Sie erkannte vier kleine Jungen, die in einer Mülltonne wühlten. Zwei von ihnen trugen Säcke über den Schultern. Alle vier hatten nichts als zerfetzte Hosen an. Kaum hielt der Wagen, stieg Kurt Köberle hastig aus, überquerte die Fahrbahn und kniete sich mit der Kamera im Anschlag vor den Kindern nieder.

Aber schon stoben sie davon. Einer der Buben hielt ein halbverschimmeltes Weißbrot in der Hand. Er verlor es. Er hastete zurück, hob es auf und stolperte hinter den anderen her. Ehe Kurt Köberle seine Kamera schußbereit hatte, waren sie um die nächste Ecke verschwunden.

Mißgelaunt kehrte er zum Wagen zurück. Schweiß stand ihm auf der Stirn. Unter seinen Achseln bildeten sich feuchte Flecken im Hemd. Grollend ließ er sich auf den Rücksitz fallen. Hinter ihm schloß Victor die Wagentür und sagte: »Es ist in diesem Viertel verboten, zu betteln oder in Mülltonnen zu wühlen. Wer dabei erwischt wird, kommt ins Gefängnis. Die Jungen hielten Sie für einen Polizisten in Zivil.«

»So kleine Kinder ins Gefängnis?« rief Herta Köberle erschrocken.

»Besserungsanstalten«, erklärte Victor. »Die sind gefürchtet.«

»Arme Dinger«, seufzte sie. »Was für ein barbarisches Land.«

Sie kamen an einer modernen Kirche aus Glas und Beton vorüber. An der Frontseite wurde ein mächtiges Kreuzrelief über dem Portal sichtbar. Auf den Eingangsstufen hockte eine Gruppe armselig gekleideter Leute. Kurt Köberle stieß seine Frau an, deutete hinaus und gebot dem Chauffeur, wieder zu halten.

In diesem Augenblick öffneten sich die schweren Flügeltüren des Portals. Zwei Damen verließen die Kirche. Und schon kam Bewegung in die Bettlergruppe. Offene Hände streckten sich den beiden entgegen. Mit gerunzelter Stirn griffen die Damen in ihre Täschchen und warfen den Kauernden lässig ein paar Münzen hin, bemüht, sie nicht zu berühren. Die haschten gierig, schubsten einander, stürzten einer rollenden Münze nach. Ein nacktes kleines Kind fing ein Geldstück und versteckte es im Mund. Nachdem die Kirchgängerinnen die Stufen herabgeschritten und in ihren Wagen gestiegen waren, spuckte es die Münze seiner Mutter in die Hand.

»Das sind echte Bettler, Kurt«, flüsterte Herta Köberle.

»Hoffentlich laufen die nicht auch weg«, erwiderte er ungeduldig.

»Sie werden nicht weglaufen«, sagte Victor, als ob er ihn verstanden hätte, und bog auf den Parkstreifen ein. »Kein Polizist holt einen Bettler von Kirchenstufen herunter. Das ist hier ein ungeschriebenes Gesetz. Deshalb drängen sich da auch so viele.«

»Eine eindrucksvolle Gruppe«, sagte Kurt Köberle.

Victor öffnete den Schlag. Kurt Köberle stieg eilig aus. Seine Frau folgte ihm. Sie hielt die Krempe ihres Sonnenhuts fest.

»Geh du ein paar Schritte voraus«, flüsterte er ihr zu, »und wirf ihnen Münzen hin. Ich stehe dann schräg hinter dir und bekomme sie frontal. Aber wirf nicht gleich alles hin. Sorg dafür, daß ich Zeit genug habe. Jetzt geh, sie gaffen uns schon an.«

Mit der Geldbörse in der Hand schritt sie vor ihm die Stufen zum Portal hinauf. Ein Chor flehenden Gemurmels empfing sie. Hände schnellten vor. Das nackte Kind setzte eine Jammermiene auf und faltete die Hände. Ihr wurde fast übel, als sie sah, daß eine Alte, die von weitem geradezu malerisch gewirkt hatte, nur noch eine halbe

Nase hatte. Das hellrosa Naseninnere lag bloß. Sie schaute weg, starrte in ihre Geldbörse, griff einzelne Münzen und warf sie den Händen zu. Hinter sich hörte sie ihren Mann atmen.

»Geh mehr nach links«, flüsterte er ihr zu. »Nein – nach *links*, habe ich gesagt!«

»Bist du noch nicht fertig?« flüsterte sie zurück. »Die Münzen sind gleich alle.«

Er streckte ihr seine eigene Börse zu und trieb sie zur Eile an. Sie warf eine Münze nach der anderen. Die Bettler drängten einander weg, krochen auf den Stufen herum, schimpften und kreischten. Herta Köberle kam sich vor wie bei einer Fütterung im Zoo. Als sie es ein paarmal hinter sich klicken hörte, atmete sie auf.

»So«, sagte ihr Mann, »du kannst Schluß machen.«

Sie gab ihm seine Börse zurück. Er steckte sie wieder in die rückwärtige Hosentasche und klopfte sich die Knie ab.

»Schnell in den Wagen«, rief er. »Es ist abscheulich heiß hier.«

Aber kaum wandten sie den Bettlern den Rücken zu, als hinter ihnen ein vielstimmiges Gejammer begann, das ihnen folgte. Das nackte Kind lief ihnen nach und klammerte sich an Herta Köberles Rock. Zwei halbwüchsige Mädchen überholten sie und stellten sich ihnen in den Weg. Keuchend tappte die Alte die Stufen herunter. Zwei Frauen mit einem Säugling im Arm liefen neben Kurt Köberle her und streckten die Hand nach ihm aus. Zurück blieb nur ein Mann mit verkümmerten Beinen auf einem handgezimmerten, fahrbaren Untersatz. Er lamentierte hinter den anderen her.

»Was ist das?« rief Herta Köberle verstört. »Was wollen sie von uns?«

Aber da stand schon Victor neben dem Wagen und hielt ihnen den Schlag auf. Atemlos flüchteten sie in die Geborgenheit des Wageninnern. In der Hast vergaß Herta Köberle, auf ihren Hut zu achten. Der Türrahmen streifte ihn ihr vom Kopf. Eine der Bettlerinnen bückte sich und griff danach. Aber Victor war schneller. Er schleuderte den Hut in den Wagen, schlug die Tür zu, schob sich hinter das Steuer und fuhr mit aufheulendem

Motor davon. Im Rauschen der Klimaanlage ging das Geschrei der Bettler unter. Durch die Heckscheibe sahen die Köberles erhobene Hände und Fäuste enttäuscht herabsinken, sahen die Bettlerschar langsam zu ihrem Platz auf den Stufen zurückkehren.

»Wir haben sie zu reich beschenkt«, murmelte Kurt Köberle, lehnte sich zurück und trocknete sich die Stirn mit einem Taschentuch. »Sie sind auf den Geschmack gekommen. Sie haben gehofft, da kommt noch mehr.«

»Ich verstehe ja, daß sie betteln«, sagte sie. »Aber warum sind sie so aufdringlich? Sie können sich doch wirklich nicht beschweren: Ich habe ihnen sicher mehr als zwanzig Mark zugeworfen. Und schon das kleine Kind haben sie zum Betteln abgerichtet. Armer Bub!«

»So kannst du das nicht sehen, Herta«, sagte er. »Diese Kinder kennen ja nichts anderes.«

»Aber es war ein so hübscher kleiner Junge. Es würde mir Spaß machen, ihn mal richtig zu säubern und nett einzukleiden.«

»Du hast Ideen«, murmelte er.

»Ein Glück, daß es bei uns daheim keine Bettler gibt«, sagte sie. »Man könnte ja keinen gemütlichen Schaufensterbummel mehr machen. Entweder hätte man dauernd ein schlechtes Gewissen, oder man müßte immerzu die Geldbörse zücken. Aber davon würde man selbst arm.«

»So eine Armut, daß es überall von Bettlern wimmelt, wird es bei uns nie mehr geben«, sagte er. »Diese Zeiten sind vorbei. Außerdem sind wir ein ganz anderer Menschenschlag. Wir sind Europäer. Mitteleuropäer. Vergiß das nicht. Wir sind viel zu tüchtig, als daß wir's in unserer Wirtschaftspolitik so weit kommen ließen.«

»Meinst du?« fragte sie mit einer Stimme, die Zweifel verriet.

Sie kamen an Tennisplätzen, an Schwimmbädern, an Schulen und Parkanlagen vorüber. Es war ein großes Viertel. Nach einer Kreuzung, auf der lebhafterer Verkehr herrschte, wurde Victor unruhig. Er drehte an Knöpfen, verstellte Hebel, fuhr schließlich langsamer.

»Kurt«, sagte Herta Köberle, »was ist das? Ich höre plötzlich Hunde bellen. Überall bellen Hunde. Bis jetzt haben wir doch auf dieser Fahrt keine Hunde bellen hören?«

»Du hast auf das Gebell bisher nur nicht geachtet«, antwortete er.

»Hör doch«, sagte sie mit vorgeneigtem Kopf, »das ganze Viertel scheint voller Hunde zu sein –«

»Hier kann man sich eben Hunde leisten. Ernesto hat ja auch zwei – und was für welche!«

»Es wird *alles* viel lauter draußen, fällt dir das nicht auf?« rief sie.

»Mir fällt nur auf, daß es hierdrin stickiger wird«, sagte er und wischte sich das Gesicht trocken.

Da wandte sich Victor um und sagte: »Die Klimaanlage ist ausgefallen. Wir müssen umkehren, Sir. Es tut mir leid.«

»Also an der Klimaanlage hat's gelegen«, sagte sie. »Sie rauscht nicht mehr. Das erklärt alles.«

Ein Eselskarren hielt den Verkehr auf. Ein Polizist schrie den Mann an, der den Esel führte. Kurt Köberle hob die Kamera, ließ sie aber wieder sinken. Schweißtropfen rannen ihm über die Schläfen.

»Kurbeln Sie die Scheibe herunter, Sir«, sagte Victor, »dann kühlt der Fahrtwind.«

Kurt Köberle ließ seinen Arm aus dem offenen Wagenfenster hängen. Das kühlte angenehm, während sie fuhren.

Sie hielten in einer Einbahnstraße, an der Mündung in eine belebte Avenida, dicht am Bürgersteig. An der Ecke lehnten mehrere Männer an einem Kiosk. Ein Bettler kauerte in der Nische eines Ladeneingangs, ein Zeitungsverkäufer schrie Schlagzeilen heraus.

»Dort drüben liegt das Präsidentenpalais«, sagte Victor. »Es ist gerade Wachablösung.«

Zwischen den vorüberpreschenden Wagen konnte das Ehepaar nur Bruchstücke des militärischen Schauspiels erspähen.

»Den Engländern abgeguckt«, sagte Kurt Köberle abschätzig.

Plötzlich schrie er auf und stürzte mit der Kamera um den Hals aus dem Wagen.

»Die Uhr!« brüllte er.« Jemand hat mir meine Armbanduhr vom Handgelenk gerissen! Pack, elendes!«

Er fuchtelte empört mit den Armen.

»So tun Sie doch was!« schrie er Victor an, der hinter dem Steuer sitzengeblieben war.

»Tut mir leid, Sir«, antwortete Victor. »Da ist nichts zu machen. Die Schuld liegt bei mir. Ich hätte Sie darauf aufmerksam machen müssen, daß man den Arm nicht aus dem Wagenfenster halten darf.«

»Rufen Sie die Polizei!«

»Das hätte keinen Zweck. Die Stadt ist voller Diebe. Wegen einer gestohlenen Armbanduhr würde nicht einmal ein Protokoll aufgesetzt.«

»Dann rennen *Sie* wenigstens hinterher!«

»Ich?« fragte Victor ruhig. »Wer fährt dann den Wagen weiter? Hinter uns staut sich's schon. Hören Sie die Huperei?«

»Dann parken Sie den Wagen um die Ecke, verdammt noch mal!« schrie Kurt Köberle mit krebsrotem Gesicht. »Sie *müssen* hinter dem Kerl her!«

»In der Avenida ist Parkverbot«, sagte Victor. »Ich könnte den Block umfahren und hier in dieser Straße parken.«

Hinter ihnen wurde immer lauter gehupt.

»Fahren Sie schon, Mann«, schrie Kurt Köberle, »und beeilen Sie sich!«

Als Victor wieder in die Einbahnstraße einbog, sah Herta Köberle ihren Mann von Schaulustigen umringt.

»Bleiben Sie hierdrin, Madam«, sagte Victor, »ich kümmere mich schon um ihn. Kurbeln Sie das Fenster hoch, auch wenn's heiß wird. Verhalten Sie sich ruhig – zu Ihrem Besten. Hierdrin sind Sie sicher.«

Während sie noch kurbelte, hörte sie ihren Mann in englischer Sprache rufen: »Es war eine wertvolle Uhr mit einem elastischen Armband!«

Sie sah grinsende Gesichter.

»Sie verstehen doch kein Englisch, Kurt!« rief sie.

Aber schon hörte sie ihn weitersprechen: »Also, wer hat den Dieb gesehen? Wer kann ihn mir beschreiben?«

Jemand kicherte.

Victor drängte sich durch die Gaffer: Losverkäufer, Schuhputzer, Dienstmädchen und Bettler.

»In welche Richtung ist er gelaufen?« rief Kurt Köberle ungeduldig. »Ich zahle eine gute Belohnung!«

Victor übersetzte. Alle Gaffer zeigten sofort in irgend-
eine Richtung. Jemand deutete sogar auf einen Gully und
erntete Gelächter.

»Bitte, Sir«, raunte ihm Victor zu, »bitte, sehen Sie ein,
daß das alles keinen Zweck hat. Der Dieb ist längst über
alle Berge.«

»Aber ich will meine Uhr wiederhaben!« schrie Kurt
Köberle.

»Wie sah der Mann aus?« fragte Victor die Gaffer.

Jemand bezeichnete ihn als groß und hager, ein anderer
als auffallend klein, ein dritter blinzelte Victor vielsagend
zu und meinte, er sei rothaarig gewesen. Ein Halbwüch-
siger krähte mit funkelnden Augen, der Dieb habe eine
Glatze gehabt, eine ebensolche Glatze wie der Bestoh-
lene.

»Worüber lachen sie?« fragte Kurt Köberle unwirsch.

»Jemand hat bemerkt, es sei kein Mann gewesen«, antwortete Victor.

»Also war's eine Frau?« fragte Kurt Köberle überrascht. »Ich bilde mir ein, ich hätte einen Mann gesehen –«

Jemand flüsterte. Was er sagte, erzeugte Heiterkeit.

»Was hat er gesagt?« fragte Kurt Köberle.

»Er hat gesagt, es sei auch keine Frau gewesen«, antwortete Victor mit unbewegtem Gesicht.

»Kein Mann, keine Frau – soll das ein Witz sein?« donnerte Kurt Köberle. »Die stecken ja alle unter einer Dek-
ke! Die machen sich noch lustig! Ein Scheißland ist das,
ein verdammtes!«

»Kommen Sie«, sagte Victor und faßte ihn am Ellbogen, »wenn einer Sie versteht, könnte das böse Folgen
haben –«

»Fassen Sie mich nicht an!« schrie Kurt Köberle. »Sie
halten ja auch zu denen!«

Herta Köberle sah ihren Mann gestikulieren und hörte
ihn schreien. Sie riß den Schlag auf, stürzte hinaus und
schob die Gaffer beiseite.

»Kurt«, rief sie, »wir sind in einem fremden Land, wir
wissen nicht, was uns hier blüht. Sei vernünftig! Komm
zurück in den Wagen. Ernesto kauft dir sicher eine neue
Uhr.«

»Aber es geht ums Prinzip!« schrie Kurt Köberle.

Nur mit Mühe gelang es ihr, ihn zum Wagen zu ziehen. Die Gaffer feixten. Mit den Händen in den Hosentaschen schauten sie dem Wagen nach.

Kurt Köberle konnte sich nur langsam beruhigen. Er umklammerte die Kamera an seiner Brust.

»Daß es so was gibt«, keuchte er immer wieder. »Auf offener Straße, und alle schauen zu, ohne einzugreifen!«

»Morgen vormittag ist Markt«, sagte Victor. »Es gibt eine Plaza in der Innenstadt, wo nur Diebesgut verkauft wird. Möglich, daß die Uhr morgen dort auftaucht. Ich fahre hin und suche nach ihr.«

»Ich fahre mit«, sagte Kurt Köberle.

»Nein, Kurt, das wirst du nicht«, sagte Herta Köberle energisch. »Dort regst du dich wieder auf. Du bleibst daheim, und Victor fährt allein.«

»Aber er kennt meine Uhr nicht«, sagte er und fügte, zu Victor gewandt, auf englisch hinzu: »Sie kennen ja meine Uhr gar nicht.«

»Doch«, sagte Victor. »Ich habe sie gestern neben dem Schwimmbassin gefunden und auf den Gartentisch gelegt. Ein schönes Stück.«

»Aber wird man sie Ihnen denn so ohne weiteres herausgeben?« fragte sie erstaunt.

»Wir werden uns irgendwie arrangieren müssen«, sagte Victor.

»Wollen Sie mir sagen, daß ich meine eigene Uhr vom Dieb zurückkaufen müßte?« fragte Kurt Köberle ungläubig.

»Nicht vom Dieb, sondern vom Hehler, und natürlich nicht zum Neuwert. Man rechnet mit einem Viertel bis Drittel.«

»Halte du dich ganz heraus«, sagte sie hastig. »Laß mich das allein mit Victor erledigen.«

»Behandle mich nicht wie ein unmündiges Kind!« rief Kurt Köberle zornig. »Ich bin doch nicht senil!«

»Aber krank.«

Als sie bei der Villa ankamen, stieg Victor aus und öffnete das Tor zur Einfahrt. Die beiden riesigen Schäferhunde begannen zu bellen und sprangen am Gitter ihres

Zwingers hoch. Er rief ihnen ein paar Worte zu. Sie antworteten ihm mit zärtlichem Gewinsel. Er fuhr den Wagen in die Garage. Das Ehepaar stieg aus und tappte, noch geblendet vom Licht, durch den halbdunklen Raum zur hinteren Tür, die in den Garten führte. Es überquerte den Rasen zur Terrasse hin. Im Eßzimmer war schon der Tisch gedeckt.

Während Herta Köberle duschte, hörte sie plötzlich einen Aufschrei aus dem Zimmer ihres Mannes. Sie warf sich den Morgenrock um und lief zu ihm hinüber. Er stand im Hemd vor dem Kleiderschrank und starrte auf seine Hose, die er in den halberhobenen Händen hielt.

»Herta«, sagte er, »sie haben mir auch meine Geldbörse gestohlen –«

Sie aßen schweigend. Herta Köberle ließ ihrem Mann Zeit, sich zu beruhigen. Sie begriff, wie sehr er sich in seiner Eitelkeit getroffen fühlen mußte. Er aß nicht viel. Mißgelaunt warf er sich nach dem Essen in einen Gartenstuhl auf der Terrasse. Nach einer Weile meldete sich Victor ab, um den Wagen zur Reparatur der Klimaanlage in eine Werkstatt zu bringen. Kurz darauf sprang der Motor an. Dumpf hallte sein Getucker aus der Garage. Die Hunde bellten, das Motorengeräusch entfernte sich.

Sie ging zu ihrem Mann hinaus und strich ihm über den Kopf.

»Nimm's nicht so tragisch, Kurt«, sagte sie sanft. »Die Uhr – na ja. Aber in deiner Börse ist ja nicht viel gewesen. Hiesige Scheine, etwa achtzig bis hundert Mark wert, schätze ich. Das können wir verschmerzen.«

»Und die Börse selbst?« schnaubte er. »Ein Andenken an Onkel Norbert!«

»Vielleicht taucht sie morgen wieder auf –«

»Ich wollte, ich wäre nie in dieses Land gekommen«, grollte er. »Hier kennt man keine Gerechtigkeit. Hier hat die Regierung die Zügel nicht in der Hand. Sie hat den Mob groß werden lassen. Ohne Ordnung und Strenge geht's eben nicht. Das ist doch lauter arbeitsscheues Gesindel, das da an den Straßenecken herumlungert und bettelt. Und dafür sollen wir zu Hause sonntags was in den Klingelbeutel werfen? Nie wieder auch nur einen einzigen Pfennig!«

»Du mußt zugeben, daß es auch bei uns daheim Diebe gibt«, sagte sie mit gerunzelter Stirn.

Er fuhr auf. »Bei uns hätte sich über so was die ganze Stadt empört! Und der Polizei wäre nichts zuviel gewesen, den Dieb zu finden!«

»Jetzt übertreibst du aber, Kurt«, sagte sie. »Bitte, denk an deinen Blutdruck. Nimm eine Tablette. Wenn Ernesto und Jutta erst wieder da sind, wird alles anders aussehen. Sie kennen die Verhältnisse hier. Sie stehen ihnen nicht so hilflos wie wir gegenüber –«

»Ich bin nicht hilflos!«brauste er auf.

»Zu Hause nicht, aber hier«, sagte sie. »Das mußt du zugeben. Wir haben uns nicht auf dieses Land vorbereitet. Wir hätten wenigstens einen Sprachkurs in der Volkshochschule mitmachen sollen. Das habe ich dir ja vorgeschlagen, aber du hast nicht gewollt. Ohne die Landessprache fühlt man sich wie ein Fisch auf dem Trockenen. Es ist schon schwierig genug, wenn man nicht weiß, wie und was die Leute hier denken –«

»Was geht *uns* das an, was sie denken?« fragte er hitzig. »Ich erwarte nichts anderes von ihnen, als daß sie uns und unseren Besitz respektieren!«

»Wer weiß, wie sie über uns und unseren Besitz denken«, meinte sie.

»Jedenfalls habe ich alle Lust verloren, noch einmal auszufahren, bevor Jutta und Ernesto wieder da sind«, knurrte er. »Hierdrin ist man wenigstens sicher.«

Er lehnte sich zurück und starrte in den Himmel. Wieder diese Aasgeier. Sie kreisten, spähten, lauerten. Unappetitliches Viehzeug. Er schloß die Augen.

Herta Köberle nahm das Heft mit den Kreuzworträtseln vom Gartentisch, das sie vorsichtshalber noch vor dem Abflug gekauft hatte, und setzte sich im Wohnzimmer auf die Couch. Es war fast wie zu Hause in ihrer kleinen Wohnung. Nur diese Sofapuppe neben ihr störte sie. Es war eine Plastikpuppe von der Größe eines vierjährigen Kindes. Sie trug eine pompöse Robe: über einer Krinoline einen grellgelben Rüschenrock, dazu eine Seidenbluse mit Puffärmeln und einen passenden Schutenhut. Ihr Mann pflegte sie »Madame de Pompadour« zu nennen. Sie war ein Geschenk von Juttas Schwiegermutter, deren Hobby darin bestand, Sofapuppen in historisch nachempfundene Gewänder zu kleiden und sie als einen der Hauptpreise auf Wohltätigkeitsveranstaltungen zu verlosen oder an Freunde und Verwandte zu verschenken.

Ab und zu warf Herta Köberle einen Blick durch die Scheiben der Terrassentür. Es beruhigte sie, zu sehen, daß ihr Mann nun in Zeitschriften blätterte. Eine wohlige Müdigkeit überkam sie, und so erhob sie sich, ging in ihr Zimmer, legte sich aufs Bett und schlief sofort ein.

Als sie nach einer reichlichen Stunde das Wohnzimmer betrat, sah sie, daß auch ihr Mann schlief. Er war auf dem Gartenstuhl eingenickt.

»Señora«, rief die Köchin leise von der Küche her und zeigte auf den gedeckten Kaffeetisch im Eßzimmer.

Herta Köberle wunderte sich, daß nur ein Platz gedeckt war. Aber ihr wurde sogleich von der Köchin durch Zeichen bedeutet, der Herr habe schon Kaffee getrunken. Als sie so allein am Tisch saß, erschien Victor draußen im Garten. Er mußte zurückgekommen sein, während sie geschlafen hatte. Mit einem Gerät, das halb Rechen, halb Netz war und einen überlangen Stiel hatte, fischte er die Blüten aus dem Bassin, die der Wind hineingeweht hatte: Rosen- und Bougainvilleablätter, Goldregen und die orangefarbenen Dolden des Feuerbaums. Sie stand vom Kaffeetisch auf und nahm sich auf dem Sofa wieder ihre Kreuzworträtsel vor. Als sie einmal auf die Terrasse ging, um ihrem Mann die Mücken von der Glatze zu wedeln, schaute Victor zu ihr herüber. Sie hielt den Finger an die Lippen. Er verstand. Aber er brauchte seine Geräusche nicht zu dämpfen. Er bewegte sich wie immer leise und unauffällig, so daß er kaum zu hören war.

Später, als die Sonne schon sehr tief gesunken war, ging Herta Köberle zur Brüstung hinüber. Violett getönt lag das Meer vor ihr, rosafarben angehaucht der Himmel. Von unten tönte jetzt eine Flötenmelodie herauf, begleitet von einem wilden Rhythmus aus Trommeln und Rasseln. Eine Prozession wand sich durch den Ort. Genaueres konnte Herta Köberle nicht erkennen, obwohl sie ihre Brille trug. Sie holte das Fernglas ihrer Tochter aus dem Haus.

Es war ein Kinderbegräbnis. Der Zug wurde von einer Musikantengruppe angeführt. Halbwüchsige Jungen zogen den Karren mit dem kleinen Sarg. Es war eine aus rohen Brettern zusammengenagelte Kiste, liebevoll geschmückt mit weißen Bändern aus Krepp-Papier und üppigen Blütenzweigen. Aber dort unten grünte nicht viel: kein Baum, kein Strauch, nur hier und dort ein winziges Küchengärtchen. Die Trauernden mußten Parks und Alleen für dieses Begräbnis geplündert haben.

Weder Pfarrer noch Ministranten waren zu sehen. Hinter dem Sarg schritt eine Frau, umgeben von einer

Kinderschar. Die Frau trug ein buntes Kleid. Alle waren barfuß.

Herta Köberle hörte ein Geräusch hinter sich und drehte sich um. Es war Victor, der den Kiesweg harkte.

»Haben sie das gesehen?« fragte sie leise auf englisch und zeigte hinunter. »Wie traurig –«

»Es ist doch ein Engelchen geworden«, antwortete er mit verschlossenem Gesicht. »Dieses Hundeleben dort unten ist ihm erspart geblieben.«

»Man scheint hier alles leichter zu nehmen«, sagte sie. »Die Mutter trägt nicht einmal ein schwarzes Kleid.«

»Wahrscheinlich besitzt sie nur das eine, das sie anhat.«

»Und die vielen Kinder hinter dem Sarg? Wer sind sie?« fragte sie verwundert.

»Sicher die Geschwister.«

»So viele?«

»Das ist hier nichts Besonderes. Sicherheit für das Alter. Von zehn sterben fünf, aber fünf bleiben ihnen.«

Sie verstand ihn nicht. Trotzdem nickte sie und beugte sich wieder hinab, während er weiterharkte. Schon verschwand das Ende des Zuges hinter einem Felsvorsprung des Steilhangs. Die Musik verhallte. Herta Köberle blieb noch eine Weile an der Brüstung stehen und schaute auf das Meer hinaus. Es dämmerte. Unten am Strand schimmerten einzelne Lichter auf.

»Madam«, hörte sie Victors gedämpfte Stimme hinter sich, »ich will morgen schon sehr früh auf den Markt fahren, damit kein anderer die Uhr und die Börse kauft.«

»Hat Ihnen mein Mann –«

»Ja, er hat mir gesagt, daß auch seine Börse gestohlen wurde.«

»*Ich* werde Ihnen das Geld geben«, sagte sie bestimmt. »Kaufen Sie Uhr und Börse zurück, auch wenn es teuer wird. Aber sprechen Sie meinem Mann gegenüber von einem niedrigen Preis. Er regt sich sonst auf. Verstehen Sie? Die –«

Ihr fiel das englische Wort für »Quittung« nicht ein.

»Einen Augenblick«, sagte sie und holte ein englisches Wörterbuch aus dem Haus. Victor wartete, auf seinen Rechen gestützt, bis sie sagen konnte, was ihr sehr wichtig erschien: »Die Quittung geben Sie *mir*!«

»Quittung?« fragte er erstaunt. »Dort gibt es keine Quittungen. Von den Leuten auf diesem Markt kann kaum einer lesen und schreiben.«

»Aber woher weiß ich dann, wieviel sie wirklich bezahlt haben?« fragte sie ungehalten.

»Wenn Sie fürchten, daß ich Sie betrügen könnte, möchte ich Sie bitten, mit mir auf den Markt zu kommen«, sagte er mit verhaltener Erregung in der Stimme.

Sie ging ins Haus und holte das Geld: fünf Tausender in der Landeswährung. »Geben Sie mir den Rest morgen zurück – oder alles, wenn Sie die Sachen auf dem Markt nicht finden«, sagte sie und händigte Victor die Scheine aus. »Ich werde Ihnen vertrauen.«

»Ich verstehe, Madam«, sagte er, steckte das Geld ein und harkte weiter. Als sie die Terrasse schon fast erreicht hatte, kam er ihr nach und flüsterte: »Gehen Sie nicht hinaus auf die Straße, wenn ich nicht hier bin.«

»Wir haben nicht die Absicht«, antwortete sie.

Victor verbeugte sich und verschwand in der Dämmerung.

Auf der Terrasse schnarchte ihr Mann friedlich vor sich hin. Sie beugte sich über ihn. Ihr fielen wieder die rötlichen Haarbüschel in seinen Nasenlöchern auf. In den ersten Jahren ihrer Ehe hatte sie Abscheu vor ihnen empfunden. Erst durch die tägliche Nähe hatte sie sich an sie – und damit an den ganzen Mann – gewöhnt. Jetzt wucherten sie noch üppiger als früher. Und ihr wurde noch mehr bewußt: sein Bauch, der breit über dem Gürtel hervorquoll, der selbstzufriedene Zug um den Mund, die groben Hände.

Sie fröstelte. Sie holte sich aus ihrem Zimmer eine Strickjacke. Eine Weile blieb sie reglos neben ihrem Mann sitzen. Jenseits der Gartenmauer rollten Autos, kaum hörbar, vorbei. Ab und zu schlugen die Hunde an. Auch in näheren und ferneren Nachbargärten kläfften Hunde, aber die Mauer dämpfte die Geräusche.

Sie stand auf und wanderte noch einmal durch die Abendkühle zur Brüstung hinüber. Der ganze Garten hatte sich mit Duft gefüllt. Im Bassin spiegelten sich die ersten Sterne.

Sie schaute auf das Meer hinaus. Das Auf und Ab der Brandung war eingeschlafen. Aus den Hütten am Fuß der Felswand drang eine Fülle von Geräuschen herauf, die von den schrillen Stimmen zankender und jammernder Frauen übertönt wurden. Herta Köberle sog den Geruch des Meeres ein und schaute auf: Über ihr wölbte sich der Sternenhimmel.

»Herta?« rief ihr Mann von der Terrasse her.

Sie hörte die Beine des Gartenstuhls auf den Steinplatten schaben, hörte ihren Mann schnaufen und durch den Garten schlurfen. Sie seufzte. Als er sie erreicht hatte, hakte sie sich bei ihm ein.

»Wie spät ist es eigentlich?« fragte er. »Ich muß stundenlang geschlafen haben.«

»Ja, und heute abend wirst du wieder nicht einschlafen können«, sagte sie. »Wir werden uns ein langes Abendprogramm ausdenken müssen.«

»Ich fange gleich damit an«, rief er lachend. »Ich werde jetzt in dieses Bassin steigen. Ich habe noch nie im Dunkeln geschwommen. Machst du mit?«

Sie zogen sich im Haus um. Noch bevor sie im Badeanzug das Bassin erreicht hatten, flammten die Gartenlampen auf.

»Ein gutes Personal merkt, was man vorhat, noch bevor man selbst weiß, was man vorhat«, sagte Kurt Köberle.

Das Wasser war angenehm temperiert. Es jagte kaum einen Schauder über die Haut. Sie schwammen ein paar Runden.

»Übrigens hat Victor heute nachmittag keine Werkstatt gefunden, die ihm den Wagen bis morgen repariert hätte«, berichtete er. »Deshalb will er morgen gleich nach dem Markt zu einem Freund nach San Jacinto fahren. Das ist ein Viertel am anderen Ende der Stadt. Der Freund sei Autoschlosser, sagt er, und verstehe was von Klimaanlagen. Er arbeitet irgendwo bei einer Ölfirma und ist nur übers Wochenende daheim. Wenn die Reparatur länger dauert, könnte es sein, daß Victor erst am Sonntagmorgen zurückkommt.«

»Ich glaube, er ist doch recht gewissenhaft«, meinte sie. »Es könnte ihm ja gleichgültig sein, ob Ernesto und

Jutta am Montag im Wagen schwitzen müssen oder nicht.«

»Warten wir ab, was bei der Uhrensuche herauskommt. Ich vermute, daß er bei diesem Handel sein Schäfchen ins trockene zu bringen versucht.«

»Wir sollten ihm trauen, meine ich«, sagte sie und fügte hastig hinzu: »Es ist schon alles mit ihm besprochen. Du brauchst dich um nichts zu kümmern.«

Es wurde ein sehr friedlicher Abend. Nach dem Baden setzten sie sich eine Weile vor den Fernseher. Da sie die Sprache nicht verstanden, vergnügten sie sich damit, den Handlungsablauf eines Liebesfilms zu erraten. Sie wetteten auf ein Happy-End und bekamen es auch. In heiterster Stimmung aßen sie zu Abend. Nach dem Essen spielten sie eine Partie Schach, die sich lange hinzog. Sie hatten den Plattenspieler angestellt. Straußsche Walzer wogten.

In einer Pause zwischen zwei Walzern schellte es.

»Wer kann das sein – so spät?« fragte sie verwundert.

»Vielleicht will ein Dienstmädchen aus der Nachbarschaft mit unserer Köchin klönen«, meinte er. »Oder das Zweitmädchen ist etwas früher aus dem Urlaub zurückgekommen.«

»Jutta hat gesagt, Cecilia wird im Lauf des Sonntagvormittags erscheinen. Heute haben wir Freitag.«

Sie lauschte.

»In der Küche weint eine Frau«, flüsterte sie.

Kurt Köberle stand auf und schaltete den Plattenspieler ab.

»Tatsächlich«, sagte er. »Geh doch in die Küche und sieh nach.«

»Ich verstehe ihre Sprache nicht«, sagte sie beklommen.

»Ich werde Victor fragen«, sagte er.

Aber noch ehe er sich erhob, öffnete sich die Küchentür. Mit einer Verbeugung trat Victor ein und blieb an der Tür stehen. Er bat, die späte Störung zu entschuldigen, aber es eile. Er komme in Lornas Auftrag.

»Wer ist Lorna?« fragte Kurt Köberle.

»Die Köchin«, raunte ihm seine Frau zu.

»Sie hat mich gebeten, Sie um Urlaub zu bitten«, sagte

Victor. »Sie hat eben erfahren, daß ihr Sohn krank ist. Sehr krank! Brechdurchfall.«

»Lorna hat ein Kind?« fragte Herta Köberle erstaunt. »Ich dachte, sie sei noch ein Mädchen?«

»Sie hatte zwei Kinder, Madam«, sagte Victor. »Aber das ältere ist vor zwei Jahren ertrunken. Bitte, geben Sie ihr frei –«

»Aber natürlich«, rief sie. »In so einem Fall –«

»Ist dir klar, daß wir dann ganz allein bleiben?« fragte ihr Mann sie leise. »Allein mit den Hunden?«

»Aber ja«, rief sie. »Es ist doch ein Notfall!«

»Übermorgen früh kommt Cecilia zurück«, sagte Victor. »Bis dahin werden Sie ihr Essen vielleicht selbst zubereiten können? Morgen früh wird Ihnen Lorna noch den Frühstückstisch decken, bevor sie geht.«

»Herta«, raunte Kurt Köberle, »erinnerst du dich nicht, daß wir dem einen Mädchen auf keinen Fall Urlaub geben sollen, solange das andere nicht zurück ist?«

»Aber Kurt«, rief sie empört, »hier geht es um das Leben eines Kindes! Dafür wird auch Jutta Verständnis haben.«

»Wenn du meinst«, murmelte er. »Aber wer sagt uns, ob es auch wirklich stimmt, was uns da erzählt wird?«

In der Küchentür erschien die Köchin, in Tränen aufgelöst.

»Sie soll nur schnell heimgehen zu ihrem Kind«, rief Herta Köberle. »Wir werden uns bis zum Sonntag schon irgendwie behelfen.« Und zur Köchin gewandt, fügte sie hinzu: »Bleiben Sie bei dem Kleinen, solange er Sie braucht. Ich werde meiner Tochter alles erklären.«

Die Köchin verstand sie nicht. Wohl aber hatte sie begriffen, daß der Urlaub bewilligt war. Strahlend stammelte sie: »Gracias – mil gracias –« und verschwand in der Küche, wo sie auf eine andere junge Frau einredete.

»Wer ist das?« fragte Kurt Köberle.

»Eine Frau aus Lornas Dorf«, sagte Victor. »Sie arbeitet in der Nachbarschaft. Sie ist heute aus dem Urlaub zurückgekommen und hat ihr die Nachricht gebracht.«

»Lorna soll keine Zeit verlieren«, drängte Herta Köberle.

»Der nächste Linienbus ins Gebirge geht erst morgen

früh«, sagte Victor. »Ich werde sie zum Bus bringen, bevor ich auf den Markt fahre.«

»Warum fahren *Sie* sie nicht nach Hause?« fragte sie. »Dazu brauchen Sie doch keine Klimaanlage.«

»Das würde Don Ernesto niemals erlauben«, seufzte Victor. »Es ist eine lange Fahrt. Der Linienbus braucht drei Stunden bis dort hinauf, und die Straße ist nur geschottert und voller Schlaglöcher. Der Wagen wäre ruiniert.«

»Dann gebe *ich* Ihnen die Erlaubnis!« rief sie.

»Aber, Herta«, sagte Kurt Köberle. »Kannst du Ernestos Wagen denn ersetzen, wenn er wirklich dabei draufgeht? Na also.«

Victor verbeugte sich und zog sich rückwärts in die Küche zurück. »Bitte, lassen Sie niemanden herein«, sagte er, »solange Sie allein sind. Niemanden!«

»Wir erwarten keinen Besuch«, sagte Kurt Köberle, »und die Freunde unserer Kinder wissen, daß Jutta und Ernesto verreist sind. Wer sollte also kommen außer dem Milchmann und dem Bäckerjungen?«

»Lorna holt täglich Milch und Brötchen selbst im Laden«, sagte Victor. »Doña Jutta will das so. Bis Montag früh ist genug Brot und Milch im Haus. Kühlschrank und Speisekammer sind voll. Es wird Ihnen an nichts fehlen —«

Er zögerte.

»Nur noch eines«, fügte er hinzu. »Die Hunde. Dürfte ich Sie bitten, sie zu füttern, solange wir fort sind? Ich werde Ihnen natürlich alles zeigen und erklären —«

Kurt Köberle folgte Victor in die Küche. Ihre Stimmen verloren sich nach einer Weile im Gebell der Hunde. Die Küchentür stand weit offen. In der Mädchenkammer schimmerte Licht. Herta Köberle schob die Dame auf dem Brett hin und her. Sie zögerte, zu den Männern hinauszugehen. Sie hatte Angst vor den Hunden. Sie waren so groß und so laut. Schon als Kind hatte sie sich vor Hunden gefürchtet.

»Komisch, dieser Victor«, sagte Kurt Köberle, als er wieder hereinkam. »Ich weiß nicht, warum der Mann so sehr besorgt ist, wir könnten jemanden hereinlassen. Er hat mir's noch einmal ans Herz gelegt, niemandem die Tür zu öffnen. Wenn's stimmt, was er sagt, so wird übers Wochenende in der Innenstadt ein großes Fest gefeiert.«

»Es stimmt«, sagte sie. »Jutta hat davon gesprochen. Ein religiöses Volksfest mit Prozession und so. Aber es sei nichts für uns. Zuviel Pöbel, meint sie, zuviel Gedränge, zu laute Musik und jede Menge von Betrunkenen.«

»Dafür wird fast die ganze Polizei gebraucht, sagt Victor. Deshalb kann man hier oben während dieser Tage nicht mit der üblichen Polizeistärke rechnen. Auch aus unserem Viertel werden viele Leute auf das Fest gehen. Über Samstag und Sonntag wird manche Villa leerstehen oder nur von Dienstmädchen oder Gärtnern bewacht sein.«

»Was hat das mit uns zu tun?« fragte sie. »Jedenfalls ist es rührend, wie verantwortlich sich Victor für Ernestos Haus fühlt. Wenn Ernesto Grund hätte, ihm und Lorna zu mißtrauen, hätte er beide schon längst entlassen.«

Er zuckte die Schultern. »Bisher hat er beiden eben noch nichts nachweisen können«, sagte er. »Jutta hat mir erzählt, daß sie vor Lorna schon vier andere Köchinnen hatte – innerhalb von zwei Jahren! Zwei stahlen, eine kehrte aus dem Urlaub nicht zurück, und eine schmuggelte heimlich ihre Kinder in ihre Kammer, wenn Jutta nicht zu Hause war. Von den Stubenmädchen gar nicht zu reden. Auch Victor ist ihr dritter Gärtner. Der erste hatte es auf der Brust, der zweite hat Geld unterschlagen. Aber auf Victor schwört Ernesto. Er sagt, Victor kann es sich einfach nicht leisten, seine Entlassung zu riskieren.«

Sie hob erwartungsvoll den Kopf.

»Hat er dir mal erzählt«, fuhr er genußvoll fort, »was Victor für ein Mann ist? Nein? Stell dir vor: Er ist Lehrer von Beruf! Volksschullehrer. Er hat hier in einem Vorort unterrichtet, bis er bei einem Aufstand gegen die Militärregierung mitgemacht hat. Er wird wohl nicht viel mehr als ein Mitläufer gewesen sein. Der Putsch wurde niedergeschlagen. Victor floh auf einem Fischkutter nach Barbados. Von dort hat er sein Englisch. Nach vier Jahren zog es ihn heim zu seiner Familie. Er hoffte wohl auch, nach so langer Zeit sei Gras darüber gewachsen. Kaum war er wieder hier, wurde er eingelocht. Drei Jahre saß er. Hast du seine Narben gesehen? Die hat er aus dem Gefängnis heimgebracht, sagt Ernesto. Dort müssen sie

ihn wohl ziemlich kaputtgemacht haben. Auf eine An-
stellung als Lehrer braucht er natürlich nicht mehr zu
hoffen, wenigstens so lange nicht, wie diese Militärregierung am Ruder ist. Er mußte froh sein, als ihm Ernesto
die Gärtner- und Chauffeur-Stellung anbot. Schließlich
hat er eine große Familie zu versorgen. Fünf Kinder.«

»Fünf Kinder?« fragte sie betroffen. »Armer Kerl.
Weißt du, ich schäme mich ein bißchen. Ich habe ihm
heute abend im Garten ganz offen mein Mißtrauen gezeigt. Er hat es gespürt. Es muß ihn gekränkt haben.«

»Ist es denn ein Wunder, nach dieser Geschichte heute
vormittag, wenn man nun überall Unrat wittert?« fragte
er. »Komm, spielen wir weiter.«

Am nächsten Morgen wachte sie sehr früh auf. Durch die
Ritzen der Jalousie fiel fahles Licht. Sie erhob sich und
spähte in den Garten. In der Morgendämmerung hantier-
te Victor mit dem Gartenschlauch. Er rollte ihn zusammen. Über die Steinplatten flossen Rinnsale. Der Rasen
troff vor Nässe. Sie schaute auf ihre Armbanduhr: Es war
fast sechs. Als sie aus dem Badezimmer zurückkehrte und
noch einmal hinaussah, war der Garten leer.

Sie stellte die Klimaanlage ab und öffnete das Fenster
um einen Spalt. Sofort drang der Geruch feuchter Erde
und nassen Grases herein. Sie hörte die ferne Sirene eines
Schiffes und Vogelgezwitscher. Im Zimmer ihres Mannes
rührte sich noch nichts. Sie legte sich noch einmal nieder.
Im Einschlafen hörte sie das Motorengeräusch des Wagens, das Gebell der Hunde. Dann wurde es sehr still im
Haus.

Lorna saß steif neben Victor auf dem Beifahrersitz. Sie hielt ihre Handtasche mit beiden Händen fest und starrte geradeaus in die leeren Straßen, wo eine Morgenbrise Papierfetzen aufwirbelte.

»Du riskierst verdammt viel, Lorna«, sagte Victor.

»Ich kann nicht anders«, antwortete sie.

»Wenn sie dir's so auslegt, als hättest du die gute Gelegenheit ausgenutzt, schnell daheim einen kleinen Urlaub zu machen, wirft sie dich noch am Montag raus.«

»Jag mir keine Angst ein«, sagte sie hart.

»Wenn's nicht gerade jetzt passiert wäre, wo nur die beiden Deutschen da sind –«

»Dafür kann ich nichts«, unterbrach sie ihn. »Krankheiten kommen und gehen, wie sie wollen.«

»Es wäre alles nicht so riskant, wenn du nicht schon neulich vier Tage Urlaub genommen hättest. Daß damals deine Großmutter gestorben ist, glaubt sie dir doch nie und nimmer.«

»Hätt ich ihr den wahren Grund nennen sollen?« fuhr Lorna auf. »Daß ich das Kind wieder mal sehen wollte? Dafür hätt sie mich nicht gehen lassen. Sie weiß nicht, wie das ist. Sie hat keine Kinder. Sie hätt gesagt: Was wollen Sie eigentlich? Ihr Kind ist doch bei Ihrer Mutter bestens aufgehoben –«

»Es hat sie von Anfang an gestört, daß du deine Gedanken daheim hast. Du sollst sie nur bei der Arbeit haben.«

»Als ich mich damals vorgestellt hab, da hab ich sie gefragt, ob ich das Kind mitbringen darf. Hätt sie mir das erlaubt, wär alles gut gewesen. Aber das hat sie nicht gewollt. Ein Kind im Haus, das sei zu laut, auch wenn's immer in meiner Kammer bliebe.«

»Du hättest ihr gar nichts von dem Kind sagen sollen. Warum bringst du's nicht zusammen mit deiner Mutter hier in der Stadt unter? Dann hättest du's näher.«

»Meine Mutter käme um in der Stadt«, sagte Lorna traurig. »Sie hängt an ihrer Hütte, an den Nachbarinnen, an Vaters Grab. Sie muß Gras sicheln und Ziegen melken können. Und wie soll ich eine Stadtwohnung für sie bezahlen, dazu noch das Essen?«

»Jedenfalls wird dir Doña Jutta den Brechdurchfall nicht glauben, auch wenn du bei der Muttergottes und allen Heiligen darauf schwörst«, sagte Victor. »Was machst du, wenn sie dich rauswirft?«

»Ich weiß es nicht«, seufzte Lorna. »Von Haus zu Haus gehen und nach Arbeit fragen, wie vorher auch.«

»So eine Stellung wirst du nicht so leicht wieder finden. Doña Jutta bezahlt gut.«

»Ja, ja, ja«, brauste Lorna auf, »aber soll ich hier den Herrschaften ihre Steaks braten, während mir daheim das Kind stirbt? Meine Mutter ist müde, die kommt nicht an gegen den Tod. Aber wenn *ich* dort bin, schaff ich's. Irgendwie werd ich hinterher schon wieder Arbeit finden, und wenn ich auf den Strich gehen muß. Hauptsache, das Kind bleibt mir.«

»Du hast recht«, sagte er. »Das allein zählt.«

»Ich hab der Muttergottes gelobt: Wenn sie das Kind –«

Ihre weiteren Worte gingen im Rattern einer Trambahn unter. Und dann kamen sie schon auf den großen, schmutzigen Platz in der Innenstadt, von dem die Busse abfuhren – hinaus an die Strände, zu den Fischerhäfen, ins Gebirge hinauf. Es waren alte, klapprige, grellbunte Busse mit kuriosen Namen.

Victor hielt, stieg aus, öffnete die Heckklappe und hob Lornas Pappkoffer heraus.

»Schwer«, sagte er. »Proviant für daheim?«

Sie nickte.

»Aus der Speisekammer?«

»Woher sonst?« gab sie finster zurück. »Die Speisekammer ist so voll, daß Doña Jutta gar nicht weiß, ob was fehlt. Sie wird nicht hungern, auch wenn ich mir einen Koffervoll mitgenommen hab. Nach so einem Brechdurchfall muß einer gepäppelt werden, wo doch mein Pablito schon vorher so mager war.«

»Die Reichen haben ein scharfes Auge auf unsereinen«, sagte Victor.

Lorna stieg hastig in den Bus und wurde hinter verstaubten Scheiben unsichtbar.

Victor fuhr weiter. Er kam nur sehr langsam voran. Die Gassen rund um die Märkte füllten sich mit Käufern und Verkäufern. Zwischen Diebesmarkt, Gemüsemarkt und

Fischmarkt drängten sich Eselskarren, Lastwagen, Busse, Handwagen, Pferdegespanne. Schwerbepackte Dörfler zwängten sich durch die Menge, Hunde streunten durch die Straßen, Frauen mit Girlanden in den Armen überquerten die Fahrbahn, Leitern richteten sich an den Hausfassaden auf, Fahnen rollten sich aus den Fenstern, bunte Bänder flatterten von den Balkongeländern. Kein Fest im Jahreskreis war beliebter als dieses zu Ehren des heiligen Juan, des Schutzpatrons dieser Stadt. Man fieberte ihm entgegen, man trauerte ihm nach: das einzige Fest, das Reiche und Arme im Stadtkern vereinte.

Halbnackte Jungen umschwärmten den Mercedes, klammerten sich am Türgriff, am Seitenspiegel fest.

»Ich, Señor, ich, ich!« flehten, kreischten, schrien sie.

»Nein«, sagte Victor. »Ich parke nicht hier.«

Enttäuscht ließen die Kinder von ihm ab. Sie hatten sich ein fettes Trinkgeld erhofft.

Victor stellte den Wagen auf einem bewachten und von einer Mauer umgebenen Parkplatz ab. Dem Wächter, den er kannte, gab er außer der Gebühr ein Trinkgeld.

»Wenn dem Wagen was passiert, werde ich entlassen, Manuel«, sagte er. »Also behüte ihn wie deine Frau.«

»Mach ich«, grinste der Wächter. »Für dich immer.«

Victor ging zu Fuß weiter. Die fünf Tausender trug er in einem Beutel unter seinem Hemd. Er beeilte sich. Er hatte nicht viel Hoffnung, Uhr und Börse wiederzufinden.

Auf dem kleinen, quadratischen Platz unter den beschnittenen Bäumen ging er von Stand zu Stand und prüfte die ausgelegte Ware mit raschem Blick. Er stieß auf alte Bekannte aus dem Gefängnis. Auf dem Sockel des Brunnens saß der rothaarige Dionisio Álvarez und bot ein halbes Dutzend gestohlener Autoradios an. Dionisio hatte sich auf dem Gefängnishof gern als Clown aufgespielt. Jeder hatte ihn gekannt. Victor grüßte ihn, aber Dionisio erinnerte sich nicht an ihn.

Eine alte Frau hockte hinter ihrem Tisch wie eine Spinne im Netz: die Schwarze Luisa. Sie hatte immer eine Schar von Taschendieben an der Hand, die noch Kinder waren. Auf ihrem Tisch fand sich alles, was man sich in Hosentaschen und Handtäschchen vorstellen konnte. Vor allem bot sie ein reiches Sortiment an Geldbörsen an.

Victor beugte sich über ihren Tisch. Er kannte die Börse nicht, die er suchen sollte. Aber sie war ihm genau beschrieben worden: Rindsleder, braun mit heller getöntem Rand und goldfarbenem Monogramm auf der Vorderseite.

»Kaufen Sie, kaufen Sie, junger Mann«, schnarrte die Alte, deren Ruf er kannte. »Für Sie nur zum halben Preis!«

Er überflog die Reihen der Herrenbörsen. Keine einzige war der gesuchten auch nur annähernd ähnlich. Er strich an den nächsten Ständen entlang. Hier wurden teure Portemonnaies angeboten, die vornehme Herkunft und die Arbeit professioneller Taschendiebe verrieten. Aber die Geldbörse, die Victor suchte, war nicht darunter.

Er suchte die Klapptische ab, die ohne Sonnendach in der Mitte des schattenlosen Platzes standen. Die meisten gehörten halbwüchsigen Kindern, die ihre eigene Beute und die ihrer Geschwister und Eltern anboten: ein kunterbuntes Durcheinander vom Schlüsselbund bis zum Zigarettenetui, vom Taschenmesser bis zur Puderdose, angepriesen mit Geschrei. Auch Börsen waren dabei – nur keine braune rindslederne mit heller getöntem Rand.

Victor wandte sich den Uhren zu. An Armbanduhren herrschte eine reiche Auswahl, sortiert nach Art und Qualität. Er erkannte in einem der Verkäufer den Roberto Corcovado, der im Gefängnis wie eine Made im Speck gelebt hatte, weil seine Frau an den Besuchstagen dem Wachpersonal kostbare Uhren zugesteckt hatte, Uhren aus dem Beutearsenal des Diebs. Jetzt trug er plötzlich einen Schnurrbart und eine Sonnenbrille. Er stutzte, sah Victor mißtrauisch an und begann dann zu lachen.

»Du, Victor?« rief er. »Beklaut worden? Aber nicht von mir. Dir würde ich nichts wegnehmen. Du hast nie die Nase so hoch getragen wie die anderen Politischen. Womit kann ich dienen? Sicher handelt sich's um die Uhr von deinem Boß.«

»Die ich suche, hast du nicht«, sagte Victor.

»Ich kann schließlich nicht *alle* Uhren der Stadt klauen. Tut mir leid. Vielleicht ein andermal. Ich mach dir dann einen Sonderpreis, unter alten Kameraden.«

Victor suchte weiter – und er hatte Glück: Er fand die Uhr auf dem Tisch eines etwa zwölfjährigen Jungen, halb verdeckt von schwarzen Tüllschleiern, die von den Damen zum Kirchgang getragen wurden.

»Ein prachtvolles Stück«, sagte Victor zu dem Jungen. »Hast *du* die erbeutet?«

»Nein«, antwortete der Junge arglos, »mein Vater. Gestern mittag gegenüber vom Präsidentenpalais. Von einem Gringo.«

Victor nahm die Uhr in die Hand und sagte: »Sie gehört mir, mein Junge. Danke Gott, daß ich dich und deinen Vater nicht anzeige.«

Damit steckte er die Uhr in die Tasche und ging.

»Halt«, rief der Junge kläglich, »das können Sie doch nicht machen! Ich kann nicht ohne Geld heimkommen. Mein Vater schlägt mich tot! Er hat sich darüber so gefreut. Er hat solches Glück gehabt, verstehen Sie doch, Señor.«

Er rannte neben Victor her und hielt ihn am Ärmel fest.

»Wir sind arm, Señor«, heulte der Junge. »Bitte, Señor, bitte –«

In diesem Augenblick tauchte ein Polizist aus einer Seitenstraße auf. Blitzschnell streiften die Kinder ihre Ware in Säcke, klappten die Tische zusammen und verschwanden. Nur die gerissensten Hehler blieben. Sie hatten Freunde bei der Polizei.

Der Junge hastete zurück, um seine Ware und den Klapptisch zu retten. Aber es gelang ihm nicht, seinen Krimskrams schnell genug zusammenzuraffen. Der Polizist packte ihn am Hemdkragen und stieß ihn vor sich hin in die nächste Gasse. Der Junge weinte und bettelte, aber niemand wagte es, ihm beizustehen, bis auf den Corcovado, der einen lauten Pfiff ausstieß und brüllte: »Saukerl – hast du keine Kinder?«

Der Polizist stellte sich taub. Er hatte es eilig. Als noch mehr Pfiffe ertönten, machte er, daß er mit dem Jungen davonkam. Kaum war er verschwunden, erschienen die Klapptische wieder auf dem Platz, als wäre nichts geschehen. Die Schwarze Luisa schlurfte zu dem Tisch des Jungen, scharrte das bißchen Ware zusammen, das verstreut am Boden lag, und trug alles zu ihrem Stand, wo sie es eilig zwischen die eigene Ware verteilte.

Victor streifte die Uhr über sein Handgelenk, kehrte zum Wagen zurück und fuhr hinaus nach San Jacinto.

Der Vorort San Jacinto lag auf halber Strecke zum Flughafen: kleine, buntgestrichene Häuser mit Wellblechdächern dicht an dicht, winzige Hinterhöfe, ab und zu ein Laden, eine Eckkneipe oder eine unbedeutende Werkstatt, endlose Reihen farbiger Fassaden zu beiden Seiten schattenloser Straßen. Hier wohnte Victors alter Freund Marc Antonio Sanchez, der Automechaniker.

Victor bog in eine Nebenstraße ein. Staub wirbelte auf. Fluchend kurbelte Victor die Fenster zu: Don Ernesto konnte Staub im Wagen nicht ausstehen. Vorsichtig umfuhr er die Schlaglöcher. Schon hatte er eine Horde johlender Kinder hinter sich. In der vierundfünfzigsten Straße Nummer zwölf-dreiundsechzig lehnte sich Marc Antonios Frau in Lockenwicklern und Morgenrock aus dem Fenster des hellgrünen Hauses.

Victor grüßte, dann fragte er: »Ist er schon heimgekommen?«

»Heute nacht um zwölf«, antwortete sie. »Aber vor einer kleinen Weile ist er wieder weg. Er kann nicht weit sein. Er hat nur die Pyjamahose an.«

Die Kinder umkreisten den Wagen wie Schmeißfliegen. Sie malten mit den Fingern in den Staub auf den Fensterscheiben und spiegelten sich im Lack.

»Dann kann er nur in einer Kneipe sein«, sagte Victor.

Er fuhr die Straße hinunter und hielt vor jeder Bar. Er brauchte nicht auszusteigen. Die Kneipen waren zur Straße hin offen. Er brauchte nur zu stoppen und »Marc Antonio Sanchez!« zu rufen. Aber auch dies war bald nicht mehr nötig, denn die Kinder übernahmen die Suche, in der Hoffnung auf ein Trinkgeld. Sie schwärmten im Zickzack von einer Straßenseite zur anderen und schrien den Namen in das Halbdunkel jeder

Kneipe. Ganz San Jacinto hallte wider von ihrem Geschrei.

Victor fuhr zu dem hellgrünen Haus zurück und wartete. Es war halb zehn.

»Komm doch herein, Victor«, sagte Marc Antonios Frau. »Es wird schon heiß.«

Victor schüttelte den Kopf. Er konnte den Wagen nicht unbewacht vor dem Haus stehenlassen.

Um zehn vor zehn brachten ihn die Kinder. Er schwankte. Seine Pyjamahose hing ihm schief an der Hüfte. Mit glasigen Augen starrte er Victor an.

»Die Klimaanlage«, sagte Victor. »Du mußt mir helfen.«

»Warum soll er nicht auch mal braten, dein Scheißboß?« lallte Marc Antonio. »Du siehst, ich hab mit mir selbst zu tun. Gestern haben wir gesagt bekommen, daß das Camp in Roca Negra aufgelöst wird. Das heißt, ich werde entlassen. Entlassen! Verstehst du?«

»Heilige Muttergottes!« jammerte die Frau.

»Und da kommst du mit deinem protzigen Wagen daher!«

»Es ist nicht mein Wagen«, sagte Victor, »aber mein Job hängt dran. Unser Sechstes ist unterwegs, Marc. Hilf mir.«

»Automechaniker gibt's wie Sand am Meer. Wo find *ich* einen neuen Job? Also fahr sie schon rein, verdammt noch mal, die Nobelkutsche von deinem Boß. Verrecken soll er!«

Auf seinen Befehl hin öffnete seine Frau zwei hölzerne Torflügel neben dem Haus. Victor drückte den Kindern ein paar Münzen in die Hand und fuhr den Wagen in den Hof, zwischen Stapel alter Autoreifen, Stoßstangen, verbeulter Felgen.

»Komm später wieder«, knurrte Marc Antonio. »Oder willst du, daß ich dir das Armaturenbrett vollkotze?«

Er schwankte ins Haus.

»Schlaf dich aus, aber fix!« rief ihm Victor nach. »Ich muß so schnell wie möglich wieder hinauf!« Und weil er nichts mehr hörte, sagte er zu Marc Antonios Frau: »Hier ist der Schlüssel. Laß das Tor zu, solange der Wagen hier ist.«

Sie schloß das Tor hinter ihm. Er ging zu Fuß vier Straßenblöcke weiter. Dort war er zu Hause.

Von weitem sah er seine drei jüngsten Kinder auf der Straße spielen, das knapp zweijährige Zwillingspärchen und Juanito, den Fünfjährigen. Er rief, sobald er näherkam, die Kleinen zärtlich beim Namen. Mißtrauisch schauten sie auf und wichen zurück. Juanito aber begann zu strahlen.

»Papá!« jubelte er und lief ins Haus. Victor hörte ihn aufgeregt schreien: »Der Papá kommt die Straße herauf! der Papá ist da!«

Und schon bewegte sich der Perlenvorhang vor der offenen Tür und teilte sich, schon stürzte eine schwangere Frau aus dem Halbdunkel und hielt geblendet die Hand über die Augen. An ihr vorüber schoß Juanito auf die Straße, sprang an seinem Vater hoch, küßte ihn auf die Hände und Brust und ließ sich kaum beiseiteschieben, als Victor seinen Arm um die Schulter seiner Frau legte.

»Daß du kommst –« sagte sie leise.

»Ich kann nur so lange bleiben, bis Marc Antonio die Klimaanlage in Ordnung gebracht hat. Jetzt schläft er. Aber in zwei Stunden werde ich hingehen und ihn wecken. Bis dahin habe ich Zeit.«

»Zwei Stunden!« Sie strahlte.

»Wo ist Jorge?« fragte er. »Und Sergio?«

»In der Schule. Die Schule richtet auch einen Festwagen aus. Sie helfen beim Schmücken.«

»Wie geht's euch beiden?« fragte er und strich ihr über den Leib.

»Wir freuen uns, daß du da bist«, sagte sie und lächelte. »Komm herein in den Schatten. Du wirst durstig sein. Was hast du für eine schöne Uhr am Arm?«

Herta Köberle schlief bis in den späten Vormittag. Ihr Mann weckte sie.

»Ich habe von der Köchin und ihrem Kind geträumt«, sagte sie. »Weißt du noch, wie Thomas als Zweijähriger das Spülmittel getrunken hat? Da haben wir auch so eine Angst um ihn ausgestanden. Hoffentlich kann sie das Kind behalten –«

»Ich habe schon nach den Hunden geschaut«, sagte er. »Sie kennen mich jetzt. Sie wedeln mit dem Schwanz und jaulen, wenn ich komme. Sie haben mehr Menschenkenntnis als Menschen, glaube mir. Ihnen ist sofort klar gewesen, daß ich sie mag. Victor hat sie noch gefüttert. Am Abend füttere *ich* sie.«

Sie frühstückten erst nach elf. Es wurde ein Mittagessen. Über dem Rasen spielten Mücken. Längst war das Gras getrocknet, sein Duft verflogen. Kein Windhauch rührte die Zweige des kleinen Goldregenbaumes neben den Terrassenstufen. Es wurde heiß.

»Der Tisch war schon fix und fertig gedeckt, als ich herauskam«, berichtete er.

»Rührend, diese Köchin«, sagte sie. »Sogar in einer solchen Lage vergißt sie nicht, für uns zu sorgen.«

Er warf ihr einen ironischen Blick zu. »Wer weiß«, sagte er, »ob's nicht doch nur ein netter kleiner Urlaub wird, und das Kind krabbelt ihr prall vor Gesundheit entgegen. Vielleicht ist das ganze Kind erlogen. Ich bin überzeugt, daß diese Rasse hier großartig schauspielern kann.«

»Pfui«, sagte sie, und ihre Züge wurden streng.

»Nichts für ungut, Herta«, sagte er lachend und tätschelte ihre Hand. »Ich sehe die Welt realistischer als du. Du überzuckerst alles mit deinen Gefühlen.«

Nach dem Frühstück beschlossen sie, in aller Ruhe das Haus zu besichtigen.

»Wenn die Kinder da sind, geniere ich mich, so herumzugucken«, sagte sie. »Sie könnten glauben, ich beneide sie um ihren Reichtum. Sogar die Dienstboten hätten mich dabei gestört.«

»Ja«, pflichtete er ihr bei, »jetzt können wir so tun, als wären *wir* die Hausbesitzer, und machen, was uns gefällt, wie daheim, ganz wie wir's gewohnt sind –« Er verstummte, als er merkte, daß sie ihm nicht mehr zuhörte.

»Es ist, als ob man hier in die Vergangenheit zurückgekehrt wäre«, sagte sie nachdenklich. »Meine Großeltern konnten sich noch Dienstboten halten. Da gab es einen Kutscher, eine Köchin und ein Stubenmädchen, und jede Woche einmal kam eine Waschfrau. Aber nach dem Ersten Weltkrieg war damit Schluß.«

»Du wirst schon wieder tiefsinnig«, scherzte er. »Das wird dir in diesem Klima nicht bekommen, Herta. Komm, spielen wir lieber Hausbesitzer.«

Er bot ihr seinen Arm, und sie hakte sich bei ihm ein. So schlenderten sie durch das Wohnzimmer, blieben vor einem abstrakten Ölgemälde stehen, das über der Sitzgruppe hing, und versuchten, es zu betiteln. Sie nannte es ›Feuersturm‹, er ›Sonnenuntergang‹. Sie witzelten über die Sofapuppe und überlegten Möglichkeiten, Jutta von ihr zu erlösen, ohne daß ihr gleich wieder ein neues Exemplar zwischen die Kissen gesetzt wurde.

»Um das zu verhindern, müßtest du erst ihre Schwiegermama erschlagen«, sagte er.

Sie taxierten den Perser, ein erlesenes Stück, und blieben vor dem Flügel stehen. Er war wohl der teuerste Gegenstand im ganzen Wohnzimmer. Herta Köberle wußte, daß Ernesto ihn Jutta geschenkt hatte, und Jutta hatte daraufhin ein paar Klavierstunden genommen. Schon nach einigen lächerlichen Kinderliedchen hatte sie die Lust am Üben verloren. Ja, ja, so war Jutta.

»Wozu haben sie sich bloß einen Flügel angeschafft?« fragte Herta Köberle. »Wo doch weder Ernesto noch Jutta spielen kann –«

»Zu einem solchen Lebensstandard *gehört* ein Flügel«, antwortete er, »genauso wie ein Gärtner. Aber sie haben ja viele Gäste. Wann immer ein Klavierspieler unter ihnen ist, werden sie ihn nötigen, sich an ihren Flügel zu setzen.«

Kopfschüttelnd blieb sie vor einer Fahne stehen, die, in kunstvolle Falten drapiert, über einem schweren Messing-Kruzifix an der Wand hing.

»Das ist die Flagge dieses Landes«, erklärte er.

»Komisch«, sagte sie, »wie anders die Menschen hier

denken. Bei uns käme doch niemand auf den Gedanken, sich die deutsche Flagge ins Wohnzimmer zu hängen.«

»Solche Zeiten hatten wir auch schon«, meinte er trocken. »Das liegt wohl eher an der Erziehung. Jutta sagt, schon im Kindergarten geht's hier los mit Fahnenhissen und vaterländischen Gedichten. Sie sagt, das fällt ihr auch bei Ernesto auf die Nerven: Wenn er von seinem Vaterland spricht, kommen ihm die Tränen, und er beginnt zu schwärmen. ›Seinen letzten Blutstropfen‹ und so weiter.«

»Und dann das Kruzifix darunter«, sagte sie ratlos. »Was hat das mit der Fahne zu tun? Wie verträgt sich das?«

»Das hat hier eben die leere Wand so schön gefüllt«, sagte er lachend. »Es ist beides was fürs Herz. Bei meinen Eltern daheim hing übrigens auch das Kreuz neben dem Hitlerbild.«

»Nein«, sagte sie sehr bestimmt, »Ernesto ist nicht dumm, und er ist gebildet. Er hat sich was dabei gedacht. Aber *was*?«

»Bei dir«, sagte er verstimmt, »muß immer gedacht werden. Was wird er sich schon dabei gedacht haben? Gott und Vaterland natürlich! Du weißt doch, daß er katholisch ist und sonntags in die Messe geht –«

»Und Jutta muß mitgehen!« unterbrach sie ihn bekümmert. »Ich wundere mich oft, wie sie mit ihm klarkommt. Mit ihm und seiner Denkweise und den Verhältnissen hier –«

»Du meinst, mit ihrem Wohlstand? Oh, damit käme jeder klar!«

»Nein«, antwortete sie lebhaft, »mit den Verhältnissen hier im Land. Zum Beispiel mit den vielen Bettlern. Mit der Armut. Wie denkt sie darüber?«

»Schon wieder denken«, seufzte er. »Ganz einfach: Sie wird *überhaupt nicht* darüber nachdenken. Sie wird sich arrangiert haben mit Ernesto und den hiesigen Verhältnissen. Das kann sie ja auch, ohne daß ihr's weh tut. Sie lebt ja, weiß Gott, nicht schlecht.«

»Du siehst das alles immer nur von dieser Seite«, sagte sie unwillig. »Aber der Mensch hat doch auch eine Seele –«

»Jutta ist deine Tochter«, rief er lachend. »Sie kann sich

anpassen. Du hast dich ja auch arrangiert mit mir, obwohl mein Vater es nur zu einem kleinen Bahnhofsvorsteher in einem lächerlichen Kaff gebracht hat und du mir erst die richtigen Tischmanieren beibringen mußtest, nicht wahr?«

»Ach, hör damit auf«, sagte sie und lächelte gezwungen.

»Nach dem Krieg gab's eben kaum mehr Männer für deinen Jahrgang«, fuhr er unbeirrt fort, »da mußte man auch vorliebnehmen mit meinesgleichen, vor allem dann, wenn man selbst nichts mehr besaß –«

»Laß das, Kurt«, sagte sie ruhig. »Nicht wieder Uraltes ausgraben und wiederkauen. Wir sind zwei Rinder unterm gleichen Joch, egal, aus welchem Stall wir stammen.«

Sie durchquerten das Speisezimmer, das dem Wohnzimmer ohne Trennwand angegliedert war. In Ernestos Arbeitszimmer standen sie verwundert vor dem Bild eines altmodisch-bunt uniformierten Mannes, das die halbe Wand bedeckte.

»Simón Bolívar, Libertador«, buchstabierte er die verschnörkelte Inschrift auf der Unterseite des Rahmens. »Wahrscheinlich irgendein ruhmreicher General.«

»Liberté heißt Freiheit«, sagte sie. »Also war dieser Mann ein Befreier. Aber wen hat er wovon befreit?«

»Wen schon? Dieses Land natürlich. Von irgendeinem Unterdrücker. Sonst hätte Ernesto das Bild nicht so riesig hier hingehängt. Aber was interessiert das uns? Wir haben nichts mit diesem Land zu tun.«

»Ich werde Ernesto danach fragen«, sagte sie.

Juttas Hobbyraum war ihnen vertrauter: In einem Winkel stand eine Staffelei. Tuben und Pinsel lagen herum. An der Wand hing eine halbfertige Makramée-Arbeit neben einer grellbunten Stoffapplikation, die, mit großzügigen Stichen zusammengeheftet, einen Blumenstrauß in einer Vase darstellte. Bastrollen türmten sich. Reihenweise standen Töpfe, Eimer und Schüsseln, gefüllt mit Farbflüssigkeiten, verstaubt da: vergessene Utensilien von Batikarbeiten.

»Sie ist immer noch die alte«, bemerkte Herta Köberle. »Alles hat sie angefangen, so gut wie nichts vollendet. Wie oft habe ich mich über diese unstete Art geärgert!«

»In ihren jetzigen Verhältnissen kann sie sich das leisten.«

»Ich stelle mir vor, daß sie sich hier manchmal entsetzlich langweilt. Sie hat ja weder zu arbeiten noch Verantwortung zu tragen.«

»Ist sie nicht in einem Wohltätigkeitskränzchen?«

»Was für eine Aufgabe ist das schon?« entgegnete sie mit herabgezogenen Mundwinkeln. »Basteln und Handarbeiten für einen Weihnachtsbasar und vielleicht noch für eine Bescherung im Waisenhaus – das ist alles. Jutta mokiert sich selbst über dieses Kränzchen.«

Sie begutachteten Schlafzimmer, Umkleideraum und Badezimmer des jungen Paares und traten am Ende des Flurs, der den linken Trakt des Hauses durchzog, ins Freie. Hier überschattete der Feuerbaum den kleinen Platz vor dem rückwärtigen Eingang der Garage und der Gärtnerwohnung. In blendender Mittagssonne kehrten sie über die Terrasse ins kühle Wohnzimmer zurück. Von hier aus betraten sie den anderen Flügel des U-förmigen Hauses. Hier lagen die beiden zukünftigen Kinderzimmer samt einer Kindermädchenkammer und die Gästezimmer mit ihren luxuriösen Bädern.

»Die kennen wir ja«, sagte sie. »Aber laß uns mal einen Blick in die Mädchenkammer werfen. Es interessiert mich, wie's darin aussieht.«

Die Kammer lag neben der Küche: ein kleiner, dunkler Raum mit einem winzigen vergitterten Fenster unter der Decke, zwei eisernen Bettgestellen, einem einfachen Wandregal mit improvisiertem Vorhang, darauf ein Pappkoffer. Die Luft war stickig. An den Wänden klebten Illustrierten-Fotos von Schauspielern und Sängern. Auf einer Kiste, die unter einer handbestickten Decke fast verschwand, standen und lagen Fotografien, in zwei Halbkreisen gruppiert. Neugierig beugte sie sich darüber. Da umklammerte ein dunkelhäutiges kleines Mädchen einen großäugigen Säugling. Beide Kinder waren rührend herausgeputzt. Da gab es einen jungen Mann in Soldatenuniform. Auf einem anderen Bild erschien er in einer Badehose, zusammen mit der lachenden Köchin. Schließlich lag da noch das Foto eines alten Paares: weißhaarige Indios mit mißtrauischem Blick.

Im anderen Halbkreis war eine dichtgedrängte Familie vor einer Holzhütte zu sehen, daneben das Bild eines jungen Mädchens mit krausem Haar und wulstigen Lippen. Das dritte Foto zeigte einen jungen Mann neben einem Lastwagen, das vierte eine alte Negerin. Zwischen beiden Bildergruppen lehnte ein Madonnenbild in einem billigen Holzrähmchen an der Wand, flankiert von zwei Blumensträußen in Marmeladengläsern.

»Wie kann Jutta so ein Loch zum Wohnen und Schlafen zulassen?« fragte sie empört.

»Sie wird nicht nach ihrer Meinung gefragt worden sein«, antwortete er. »Wahrscheinlich sehen hier alle Mädchenkammern ähnlich aus. Die Dienstboten sind nichts Besseres gewohnt.«

Sie zog ihren Mann aus dem muffigen Raum.

»Mach die Tür zu«, sagte sie. »Dieser Anblick deprimiert mich.«

Plötzlich schlugen die Hunde an. Sie lauschten.

»Sie bellen wie verrückt«, sagte er, »aber es schellt nicht. Das heißt, es ist jemand vor dem Haus, der nicht herein will, wenigstens nicht durch die Haustür.«

»Ich glaube, wir müssen hinausgehen und nachschauen«, meinte sie.

»Bleib du hier, für alle Fälle«, sagte er entschlossen und ging hinaus. Draußen sprach er mit den Hunden, dann durchquerte er den Vorgarten, öffnete das Gartentor und spähte vorsichtig hinaus. Sie beobachtete ihn gespannt durch das Küchenfenster. Mit heiterem Gesicht sah sie ihn zurückkehren.

»Nur ein Kind«, sagte er, »ein kleines Mädchen, das in unserer Mülltonne gewühlt hat.«

»Laß mich auch mal hinausschauen«, sagte sie. »Das muß ich sehen.«

»Es lief weg, als es mich sah.«

»Schade«, sagte sie. Aber dann horchte sie auf und sagte: »Kurt, die Hunde schlagen wieder an.«

»Sicher deinetwegen. Du hast dich mit ihnen noch nicht angefreundet.«

»Aber sie bellen zur Straße hin. Laß *mich* jetzt einmal nachschauen und aufpassen.«

46

»Unsinn, dieses ganze übertriebene Getue von Victor«, murrte er. »Weit und breit habe ich auf der Straße niemanden gesehen. Du brauchst keinen Geleitschutz. Ich setze mich inzwischen auf die Terrasse.«

Sie schlich an den wütenden Hunden vorbei und öffnete das Tor. Ja, da war es wieder: ein schmächtiges Mädchen, vielleicht acht, höchstens neun Jahre alt, barfuß, in einem zerlumpten Kleid, das ihm fast bis auf die Füße reichte. In zotteligen Strähnen fiel ihm das lange schwarze Haar über die Schultern. Das kleine Gesicht verschwand unter einem breitkrempigen Männerhut.

Auf dem Rücken trug das Kind eine Last, die es in ein Tuch eingebunden hatte. Die Zipfel des Tuches waren vor seiner Brust verknotet. Es war kaum größer als die Mülltonne. Es stand auf den Zehenspitzen, beugte den Kopf über den Rand der Tonne und wühlte mit beiden Händen darin herum. Hastig steckte es eine braungefleckte Banane ein und wühlte weiter. Plötzlich hatte es etwas in der Hand, das Herta Köberle schaudern ließ: ein halbes Kotelett. Es roch daran, wischte mit dem Rock darüber und biß hinein.

Leise schloß Herta Köberle das Tor, lief in die Küche, holte ein Stück Fleischwurst aus dem Kühlschrank und zwei Brötchen aus der Speisekammer und hastete zum Tor zurück. Das Mädchen war noch da. Es rückte seine Last auf dem Rücken zurecht.

Herta Köberle blickte sich um. Die Straße war leer. Nach beiden Richtungen hin war niemand zu sehen. Da legte sie Brötchen und Wurst auf ihre flachen Hände, streckte sie dem Kind entgegen und rief leise: »Komm –«

Das Mädchen fuhr zusammen, schaute erschrocken hoch und hörte auf zu kauen. Dann zog es sich hinter die Tonne zurück, bereit, jeden Augenblick zu flüchten.

»Komm«, lockte die Frau noch einmal und winkte erst mit dem Brötchen, dann mit der Wurst. Zögernd näherte sich ihr die Kleine.

»Nimm doch, mein Liebes«, lächelte sie.

Plötzlich glitt der Blick des Kindes vor ihr ab und wurde starr. Herta Köberle drehte sich verwundert um. Da sah sie am Ende der Straße einen Polizisten auftauchen. Sie begriff sofort, daß das Kind nur noch darauf bedacht sein mußte, sich nicht sehen zu lassen. So öffnete sie schnell das Tor, zeigte in den Garten und winkte. Das Kind kam.

Rasch schloß sie das Tor von innen und reichte der Kleinen, die sich ängstlich an die Mauer drückte, Brötchen und Wurst. Das Mädchen griff nach der Wurst, die noch halb gefroren war, zog aber, erschreckt durch die Kälte, die schmutzigen Finger zurück. Dann packte es ein Brötchen und stopfte es hastig in seine Kleidertasche, die jemand mit großen Stichen an den andersfarbigen Rock geheftet hatte. Offensichtlich war sie für die Beute aus den Mülltonnen gedacht.

Sie hielt dem Kind das zweite Brötchen vor den Mund. Aber es schüttelte den Kopf und schob auch dieses Brötchen in die Tasche. Dann tippte es noch einmal an die Wurst, wagte aber nicht, sie zu ergreifen. Herta Köberle steckte sie ihm in die Tasche, faßte seine Hand und führte es an den rasenden Hunden vorbei ins Haus.

Da stand es nun in der Küche und zog den Kopf ein. Es schaute sich nach der Tür um, die ins Freie führte. Es setzte sich nicht auf den Stuhl, der ihm hingeschoben wurde, sondern blieb steif stehen. Mißtrauisch beobachtete es die Frau, die einen Rest Suppe aufwärmte.

»Na?« dröhnte Kurt Köberles Stimme von der Terrasse herüber. »Hast du's gesehen?«

Das Kind starrte entsetzt durch die offene Tür ins Wohnzimmer, dorthin, woher die Männerstimme gekommen war. Und schon flüchtete es zur Küchentür und versuchte sie zu öffnen. Als ihm das nicht gelang, fing es an zu schreien. Es war ein Geschrei der Todesangst.

Kurt Köberle stürzte in die Küche.

»Was ist denn los?« rief er. »Wen hast du da bei dir?«

Herta Köberle machte ihm beschwörende Zeichen.

»*Mußt* du denn so laut sein?« flüsterte sie.

»Wie konnte ich wissen, daß du sie hereinbringst?« fragte er verblüfft und zog sich wieder auf die Terrasse zurück.

Kaum war er verschwunden, redete sie leise auf das Kind ein und strich ihm übers Haar. Es hörte auf zu schreien, aber es schluchzte weiter und beruhigte sich erst, als sie ihm ein Stück Käse hinhielt. Es stopfte den

Käse hastig in seine Tasche. Dann machte es sich wieder an der Tür zu schaffen. Es rüttelte verzweifelt am Knauf.

»Ist ja schon gut, mein Kleines«, sagte sie sanft und beugte sich über den Struwwelkopf, um die Tür zu öffnen. Dabei warf sie einen flüchtigen Blick in das Bündel. Ein winziger Säugling schlief darin.

»Mein Gott«, rief sie leise, aber da sprang die Tür schon auf. Das Mädchen mit dem Säugling auf dem Rücken hastete hinaus und schaute sich, als es das verschlossene Gartentor nicht öffnen konnte, in panischer Angst um. Kaum hatte Herta Köberle es ihm geöffnet, schoß es davon.

Verwirrt kehrte sie ins Haus zurück, nahm die Suppe vom Herd und ging auf die Terrasse. Ihr Mann schaute von einer Zeitschrift auf und fragte: »Na, wo ist sie, die kirschäugige Kleine?«

»Fort«, seufzte sie. »Hals über Kopf geflüchtet. Sie muß dich wohl für einen von der Polizei gehalten haben.«

»Tut mir leid, Schatz«, sagte er. »Ich wollte dir deinen Spaß nicht verderben. Hast du daran gedacht, daß sie Läuse haben könnte?«

Betroffen musterte sie ihre Hand, mit der sie der Kleinen übers Haar gestrichen hatte, und lief ins Badezimmer, um sich zu desinfizieren. Als sie auf die Terrasse zurückkehrte, sagte sie: »Denk dir, Kurt, das Kind hatte ein Baby auf dem Rücken –«

Er blickte auf und starrte sie verdutzt an.

»Ist das nicht furchtbar?« fragte sie. »So ein kleines Mädchen auszuschicken, um es im Müll wühlen zu lassen, und ihm noch dazu das Baby aufzubürden! Rabeneltern!«

»So ist nun mal das Leben der Armen in diesen Ländern«, sagte er. »Da gibt es keine Kindheit. Früher wird es bei uns daheim nicht anders gewesen sein.«

Er versenkte sich wieder in die Zeitschrift. Es war eine amerikanische Zeitung für Tierfreunde, die Jutta wohl aus den Staaten mitgebracht hatte. Nach einer Weile schlug er zornig mit der Hand auf einen Artikel, daß es nur so klatschte, und rief seiner Frau, die ihm stumm gegenübersaß, erbost zu: »Überall stößt man auf das gleiche Thema! Was hat das in dieser Zeitschrift zu suchen?

Das wird ja richtig penetrant! Man sollte den Chefredakteur entlassen. Schön und gut, ein Artikel über Waldabholzer und Elefantenausrotter ist hier am Platz. Der Tier- und Naturschutz in Afrika und Südamerika mag manchen Leser interessieren. Aber der Schreiber dieses Artikels geht weit darüber hinaus. Er bleibt nicht bei Urwald und Elefanten, sondern spricht hauptsächlich von den Negern und Indios! Was hat das eine mit dem anderen zu tun? In diesem Zusammenhang kritisiert er die Politik der amerikanischen und europäischen Großindustrie ohne jeden Respekt. Wo er ihr doch seinen Lebensstandard verdankt. Man sollte so einen Tintenkleckser hinausschicken zu seinem bedrohten Wald- und Tierbestand! Der Gipfel seiner Unverschämtheit ist dieser Satz – hör zu: ›Wenn die Gleichgültigkeit gegenüber den Hungernden und die Ausbeutung der Armen in diesem Maße anhalten, wird der Tag kommen, an dem sich der immer stärker werdende Druck der Dritten Welt gegenüber den Industrienationen in einem vor allem für die USA und Europa vernichtenden Konflikt entlädt.‹ Was sagst du dazu? Dem Mann geht jedes Gefühl für Realität ab. Wie sollten uns denn jenseits des Ozeans ein paar hungernde Neger oder Indios gefährlich werden können? Diese Vorstellung ist doch absurd! Das mußt du zugeben –«

»Diesen Anblick werde ich nie vergessen«, murmelte sie.

»Du hörst mir gar nicht zu!« rief er gereizt.

»Entschuldige«, sagte sie, »aber ich bin noch ganz durcheinander.«

»Du solltest dich ablenken, Herta. Ich weiß auch, wie. Ich muß dir nämlich gestehen, daß ich schon wieder Hunger habe.«

Sie nickte, stand auf und verschwand in der Küche. Aber sie richtete nur *einen* Teller Suppe und eine Portion Salat an und briet nur ein einziges Würstchen.

»Und du?« fragte er erstaunt, als sie den Tisch deckte.

»Mir hat es den Appetit verschlagen«, sagte sie.

Er warf die Zeitschrift beiseite und beugte sich über die Suppe.

»Ja«, seufzte er, während er nach dem Löffel griff, »wie schön wäre dieses Land ohne die Armen.«

Victor kehrte zu seiner Frau zurück, die mit den Kindern vor Marc Antonios Haus wartete.

»Er will weiterschlafen«, knurrte er finster. »Er wurde fuchsteufelswild. Ich soll um drei wiederkommen.«

Sie unterdrückte einen Ausruf der Freude und sagte nur: »Bis dahin sind vielleicht auch die Großen zu Hause.«

Auf dem Heimweg durch die Mittagshitze blieb Victor schweigsam. Seine Frau konnte kaum Schritt halten.

»Freust du dich nicht über die viele Zeit?« fragte sie bekümmert.

»Ich wollte, ich könnt's«, antwortete er. »Aber der Boß kann mir diese Stunden hier als gemütliches Wochenende daheim auslegen, während seine Schwiegereltern schutzlos in der Villa bleiben. Es ist tatsächlich gefährlich, die beiden Alten allein zu lassen. Sie haben unberechenbare Wünsche. Gott sei Dank hab ich wenigstens die Uhr wieder.« Er erzählte ihr von dem Uhrenraub auf offener Straße und daß er auf dem Markt dem Sohn des Diebs die Uhr abgenommen hatte.

»Das Kind war etwa so alt wie unser Sergio«, sagte er. »Wer weiß, was die Polizei jetzt mit ihm anstellt.«

»Und du bist schuld daran?« fragte sie bestürzt.

»Machst du mir Vorwürfe?« fuhr er auf. »Wen hätte ich retten sollen, den Jungen oder meine eigenen Kinder?«

»Ich weiß, Victor«, seufzte sie, »dir blieb keine andere Wahl.«

»Gestern und heute läuft alles verkehrt«, klagte er. »Ich hab eine Pechsträhne, eine richtige Pechsträhne, Marcelina.«

»Du hättest Lorna nicht heimfahren lassen sollen –«

»Das war ein Fehler, ja«, rief er erregt, »aber hättest *du* es fertiggebracht, nein zu sagen?«

»Unsereiner muß hart werden«, sagte sie bitter. »Wir können es uns nicht leisten, gütig zu sein. Wenn Don Ernesto dich entließe, wären wir alle erledigt. Aber das Schlimmste wär, daß wir die Jungen aus dem Lyzeum nehmen müßten. Tu ihnen das nicht an, bitte. Wo das doch ihre einzige Chance ist.«

»Wem sagst du das?« seufzte er.

»Warum läßt du den Wagen nicht hier und fährst mit dem Bus zurück zur Villa?«

»Dann ist der Wagen am Montag nicht fertig«, antwortete er. »Marc Antonio will getreten werden. Was glaubst du, was ich zu hören bekommen würde, wenn ich ohne Klimaanlage am Flughafen erschiene!«

»Könnte nicht *ich* in der Villa auf die beiden Gringos aufpassen, bis du kommst?« fragte sie. »Juanito könnte so lange die Kleinen hüten.«

Victor schüttelte den Kopf. »Don Ernesto mißtraut allen, die er nicht kennt. Er würde mir vorwerfen, ich hätte Fremde ins Haus gelassen. Nicht auszudenken, was geschieht, wenn hinterher irgend was in seinem Haus vermißt wird.«

Er blieb stehen und sagte: »Ich fahre nach Bellavista hinüber und sehe nach, ob dort alles in Ordnung ist. Bis drei Uhr bin ich zurück.«

Und schon drehte er sich um und lief in einer Staubwolke davon.

»Papá!« rief ihm Juanito nach.

»Laß ihn nur«, sagte Marcelina. »Er kommt bald wieder. Don Ernesto kann froh sein, daß er unseren Papá hat. So einen wie ihn bekommt er nie wieder.«

»Weiß das Don Ernesto?« fragte Juanito.

»Wir müssen darum beten, daß er's weiß«, sagte Marcelina. »Unser Papá ist ein großer Mann. Er ist so stolz, so stolz, und trotzdem buckelt er vor denen, die er am liebsten anspucken würde. Das tut er für uns. Vergeßt das nie.«

Juanito schaute mit großen Augen zu ihr auf. Die beiden Kleinen aber krähten vor Vergnügen. Sie tätschelten einen Hund, der an ihren Knien schnupperte.

Eine knappe Stunde später, am frühen Nachmittag, klingelte in der Villa das Telefon. Herta Köberle, die im Schatten des Sonnenschirms eingenickt war, fuhr erschrocken hoch: »Wer mag das sein, Kurt? Sollen wir überhaupt abheben?«

»Warum nicht?« fragte ihr Mann zurück. »Es kann nichts Schlimmeres passieren, als daß wir den Anrufer nicht verstehen.«

»Dann geh du«, sagte sie.

Er verschwand im Wohnzimmer. Sie hörte ihn lebhaft reden. Als er wieder auf der Terrasse erschien, rief er strahlend: »Rate mal, wer angerufen hat.«

»Jutta?«

»Stimmt. Aus Miami. Sie wollte uns nur sagen, daß ihr die Ärzte durchaus Hoffnung gemacht haben.«

»Na also«, sagte sie froh. »Warum hast du mich nicht ans Telefon gerufen?«

»Sie war in Eile. Sie hat dir Grüße bestellt, und du sollst dich mit ihr freuen. Dann hat sie noch gefragt, ob hier alles in Ordnung sei.«

»Hast du ihr gesagt, daß die Köchin heimgefahren ist?«

»Das können wir doch erzählen, wenn sie übermorgen zurückkommen. Sie hat noch ›Tschüs, Papi, bis Montag‹ gesagt. Das war alles.«

»Wenn nur schon Montag wäre«, seufzte sie.

Er ließ sich schwer in seinen Sessel fallen. Kaum saß er, klingelte wieder das Telefon.

»Ich wette, das ist noch einmal Jutta«, rief sie. »Sicher hat sie was zu sagen vergessen. Laß *mich* jetzt gehen.«

Sie eilte beschwingt ins Wohnzimmer.

»Kurt«, rief sie von drinnen, »komm her, es ist Victor.«

Ächzend erhob er sich und schlurfte zu ihr.

»Sprich du mit ihm«, flüsterte sie ihm zu. »Du verstehst ihn besser.«

Sie übergab ihm den Hörer und ging auf die Terrasse.

»Er hat aus der Stadt angerufen«, sagte er, als er zurückkam. »Er hat nach uns sehen wollen, aber er ist im Festgetümmel steckengeblieben, sagt er. Beim Automechaniker ist er um drei bestellt. Ob hier alles in Ordnung sei. Und natürlich seine alte Platte: Wir sollen nicht ausgehen und niemanden hereinlassen. Bis zum Abend, meint er, müßte die Reparatur fertig sein. Dann käme er sofort.«

»Hast du ihn nach deiner Uhr gefragt?«

Er sah sie betroffen an: »Das habe ich völlig vergessen.«

»Wenn er nicht selbst davon angefangen hat«, meinte sie enttäuscht, »wird er wohl nichts gefunden haben. Aber das war auch kaum zu hoffen.«

»Na ja«, sagte er, setzte sich und griff wieder nach einer Zeitschrift. »Ich bin schon drüber weg. Sie war zwar ein teures Stück, aber inzwischen doch ziemlich altmodisch. Und wenn man bedenkt, daß wir den Flug geschenkt bekommen haben und hier drei Monate lang kostenlos Urlaub machen können, tut ein Uhrenkauf nicht weh. Und die Börse mit dem Geld? Schwamm drüber. Reden wir nicht mehr davon.«

Um zwei Minuten nach drei bog Victor wieder in die Straße ein, in der Marc Antonio wohnte. Er sah seine Frau mit den drei Kleinen vor dem Tor stehen. Sie winkte ihm von weitem. In einem knallroten, prallsitzenden Kleid und mit aufgetürmter Frisur stand Marc Antonios Frau neben ihr. Sie trug ihr Kind auf dem Arm. Als Victor hielt, gab sie Marcelina das Kind und öffnete die Torflügel. Er fuhr den Wagen in den Hof und stieg aus. Sein Haar war verschwitzt, das Hemd klebte ihm am Körper, sein Gesicht glänzte von Schweiß.

»War dort alles, wie es sein soll?« fragte Marcelina hastig.

»Ich war gar nicht dort«, antwortete er finster. »Ich konnte nur anrufen. Ich bin nicht durchgekommen. Die Stadt ist der reinste Hexenkessel. Der ganze Verkehr ist zusammengebrochen. Ich war eingekeilt von vorn und hinten. Sie setzten sich auf Kühler und Heck und brachten den Wagen zum Schaukeln – ein paar Burschen aus den Slums. Sie lachten sich halbtot, als ich sie wegscheuchen wollte. Erst als ein Polizist in Sicht kam, sind sie auf und davon. Aber sie haben die Kühlerfigur mitgenommen. Ich weiß nicht, wie sie's fertiggebracht haben, den Stern zu klauen, ohne daß ich's gemerkt habe. Ich hab doch den Stern immer im Blick. Aber in diesem Getümmel mußte ich die Augen überall haben.« Er schlug mit beiden Händen auf die Kühlerhaube und stöhnte: »Was mach ich bloß?«

»Vielleicht merkt er's gar nicht«, tröstete sie ihn.

»Und *wie* er's merken wird! Schon am Flughafen wird er den Stern vermissen! Der ist ihm heilig. Er ist ihm schon einmal gestohlen worden, auf einem Parkplatz. Damals hat er Himmel und Hölle in Bewegung gesetzt, um einen neuen zu bekommen. Diese Sache kann mich meine Stelle kosten!«

Marcelina brach in Tränen aus.

»Sprich mit meinem Mann«, sagte Marc Antonios Frau. »Vielleicht hat er so einen Stern unter seinem Gerümpel. Geh hinein und weck ihn.«

»Den hat er nicht«, sagte Victor mutlos. »Es ist ein deutscher Wagen, den sieht man hier nur selten. Aber vielleicht weiß er, wo ich so ein verdammtes Ding kriegen kann.«

Er stürzte ins Haus.

»Ciao, Marcelina«, sagte Marc Antonios Frau und nahm ihr Kind wieder auf den Arm. »Ich geh für eine Weile in die Stadt. Wo ich mir doch die Haare extra für das Fest hab machen lassen. Man kann sich ja nicht immerzu mit seinen Sorgen abgeben. Ich mach einfach die Augen zu und denk nur an heute. Auf der Plaza de Armas fangen sie jetzt bald zu tanzen an. Das seh ich so gern. Früher hab ich auch mitgemacht. Aber mit dem Kind? Und die Figur ist mir auch schon aus der Pfanne geflossen. Kommst du nach?«

Marcelina schüttelte den Kopf. »Victor ist ja da«, sagte sie. »Und du siehst, wie's mit ihm steht. Viel Spaß, Olivia.«

Marc Antonios Frau warf Marcelina einen prüfenden Blick zu. »Ihr hättet nicht schon wieder was bestellen sollen«, sagte sie. »Du siehst wie ein Schatten aus. Hohle Wangen und eine leere Brust. Die Zwillinge haben dich ausgesaugt. Fünf wären genug gewesen.«

»Es ist uns passiert«, seufzte Marcelina. »Als er nach drei Wochen wieder einmal heimkam, war er ganz verrückt nach mir. Und zum Wegmachen haben wir kein Geld. Das Schulgeld für die Großen ist so teuer.«

»Diesen Luxus habt ihr euch ja freiwillig geleistet«, sagte Olivia spitz.

»Es ist unsere Hoffnung«, sagte Marcelina.

Olivia zuckte die Schultern, stöckelte die Straße hinunter und bestieg an der Ecke der Hauptstraße einen Bus, der stadtwärts fuhr.

Marcelina hörte im Haus die Stimmen der beiden Männer. Sie suchte im Schatten des Hofes vor der Sonne Schutz und setzte sich auf einen Autoreifen. Die beiden Kleinen nahm sie auf den Schoß, Juanito kauerte sich neben sie. Dankbar lächelte sie Marc Antonio an, als er mit verquollenem Gesicht und wirrem Haar in seiner Pyjamahose auf dem Hof erschien, zusammen mit Victor, und sich fluchend über die Klimaanlage hermachte.

Kurz vor halb fünf schellte es in der Villa. Die Hunde schlugen an.

»Wer kann denn *das* schon wieder sein?« fragte Herta Köberle verwundert. »Victor auf keinen Fall.«

»Mal sehen«, sagte Kurt Köberle und stand auf. »Das verspricht ja ein unterhaltsamer Nachmittag zu werden. Kein Mangel an Programm.«

»Sollten wir nicht lieber so tun, als wären wir nicht da?«

»Unsinn«, sagte er. »Es könnte sich ja um etwas Wichtiges handeln. Und gegen meinen Willen kommt sowieso niemand ins Haus.«

»Laß *mich* hinausgehen«, sagte sie unruhig. »Du weißt, dein Herz –«

»Bleib du nur hier. Worüber sollte ich mich aufregen?«

Sie lauschte seinen Schritten nach. Das Gebell ging in freudiges Gewinsel über. Dann hörte sie ihren Mann rufen: »Herta, Besuch für dich!«

Verblüfft ging sie hinaus. Er stand am Tor. Er war allein.

»Die Gäste warten noch auf deine Einladung, eintreten zu dürfen«, sagte er und grinste.

Sie eilte neugierig zum Tor und beugte sich hinaus. Da stand das Bettelmädchen und hatte einen Jungen bei sich, der einen halben Kopf kleiner war, aber die gleichen Augenbrauen, die gleichen großen dunklen Augen und das gleiche, leicht eingekerbte Kinn hatte. Sie hielten sich an den Händen und starrten ihr ängstlich ins Gesicht. Sie erkannte mit einem Blick, daß der Säugling fort und die Tasche leer war.

»Wie schön, daß du wiederkommst«, sagte sie gerührt. »Kommt herein.«

Sie wagten keinen Schritt. Der Junge spähte ängstlich in den Vorgarten, wo die Hunde in ihrem Zwinger tobten.

»Die Hunde tun euch nichts, sie sind ja hinter dem Gitter«, sagte sie, faßte die Hand des Jungen und führte ihn am Zwinger vorüber. Das Mädchen hielt seine andere Hand und ging zögernd mit. Sie ließen einander nicht los.

»Ich glaube, du vergißt, daß sie kein Deutsch verstehen«, sagte Kurt Köberle heiter.

»Sie verstehen mich trotzdem«, antwortete sie. »Sie hören, daß ich's gut mit ihnen meine. Diese armen Dinger! Den heutigen Tag sollen sie nie im Leben vergessen, genausowenig wie *ich* ihn vergessen werde.«

»Nun übertreib nicht«, sagte er trocken. »Aber bitte: Verwöhne sie, wenn es dir Spaß macht. Ich verziehe mich solange auf die Terrasse, meine Liebe.«

Er schlurfte davon. Herta Köberle führte ihre Gäste in die Küche. Als die Schwester sah, daß sich der Bruder auf den Stuhl setzte, der ihm hingeschoben wurde, schubste sie ihn sanft so weit zur Seite, daß sie sich neben ihn auf die Kante setzen konnte.

Die Kinder schauten stumm zu, als Herta Köberle einen Topf auf den Herd stellte und zwei Teller auf den Tisch schob. Mit gierigen Augen starrten sie die Weißbrotscheiben an und griffen nach den Löffeln, sobald die Suppe vor ihnen dampfte. Herta Köberle versuchte vergeblich, das Mädchen auf einen anderen Stuhl zu locken. Aber es drängte sich an den Bruder und blieb neben ihm sitzen.

Sie schlürften beide heißhungrig. Die Suppe rann ihnen über das Kinn. Sie stopften sich den Mund voll Brot, als fürchteten sie, jeden Augenblick fortgescheucht zu werden. Der Bruder war mutiger als die Schwester, er griff nach der nächsten Brotscheibe, noch bevor sie ihm angeboten wurde. Er wagte sogar ein zaghaftes Lächeln. Als Herta Köberle ihm eine Banane reichte, strahlte er. Die Schwester blieb zurückhaltend und ernst. Ihr Gesicht erschien reif gegen seines, und ihr Blick war schwermütig.

Schöne Kinder, dachte Herta Köberle. Bei uns daheim würde man sich nach ihnen umdrehen – nicht etwa, weil sie schmutzig sind.

Und schon überlegte sie, wie sie sie so zutraulich machen konnte, daß sie sich baden ließen. Vor allem das Mädchen steckte noch voller Argwohn. Der Junge hingegen rutschte satt und zufrieden von seinem Stuhl und steuerte auf die große Standuhr zu, die er durch die offene Tür im Wohnzimmer entdeckt hatte, und blieb davor stehen. Sein Blick folgte dem Perpendikel. Er drehte sich nach der Schwester um, zeigte auf die Uhr und sagte etwas. Da kam auch sie zögernd näher – mit einem scheuen Seitenblick auf die Frau, die ihr ermutigend zulächelte.

Auf halbem Weg blieb sie stehen und starrte auf das Sofa. Dort saß die Puppe zwischen den Kissen. Wie verzaubert stand das Kind vor Madame de Pompadour. Als Herta Köberle ihm die Puppe reichte, nahm es sie sehr vorsichtig in die Hände, hielt sie weit von sich und wagte sich kaum zu rühren.

»Carlitos«, stammelte es.

Der Junge kam gelaufen, er bestaunte die Puppe und betastete ihr Gesicht, ihr echtes Menschenhaar, das gescheitelt unter dem Hut hervorquoll, die winzigen Filigranknöpfe auf der schimmernden Bluse. Er tippte auf ihre langen schwarzen Wimpern, entdeckte ihre Schlafaugen, nahm die Puppe seiner Schwester aus den Händen und bewegte sie auf und ab.

»Ay!« rief er überwältigt, und immer wieder: »Ay, ay!«

Das Mädchen aber stand stumm, mit verklärtem Gesicht, vor diesem Wunder.

Schon hatte der Junge wieder etwas Neues entdeckt: das Aquarium. Er lief hin und preßte die Nase an das Glas. Die Fische stoben davon und versteckten sich zwischen grünem Gerank.

»Maria«, rief er und winkte seiner Schwester heftig. Sie kam ihm nach. Sie hatte kein Auge für das Aquarium. Sie sah nur die Puppe, die er nachlässig mit einem Arm an sich preßte. Sie nahm sie ihm behutsam ab und setzte sie wieder auf das Sofa, nicht ohne ihr vorher den Rock glattzustreichen, den der Bruder zerknittert hatte. Als der Bruder immer wieder vom Aquarium herüberrief, gehorchte sie ihm widerstrebend. Die Fische bannten ihre Aufmerksamkeit nur kurz. Sobald der Bruder das Ölgemälde ansteuerte, kehrte sie zum Sofa zurück.

»Vergiß die Läuse nicht, meine Liebe!« rief Kurt Köberle zur Terrassentür herein.

Erschrocken fuhren die Kinder herum. Aber als sie merkten, daß die Stimme dem Mann gehörte, den sie schon kannten, beruhigten sie sich.

Herta Köberle ließ sich allerlei einfallen, um den Kindern die Scheu zu nehmen: Sie zog eine Spieluhr auf, die an der Wand hing. Sie spielte ihnen Beethovens ›Für Elise‹ auf dem Flügel vor. Sie ließ sie selbst an der Schnur der Spieluhr ziehen und die Tasten des Flügels hinunterdrükken. Sie stellte den Plattenspieler an, auf dem noch die Walzerplatte lag. Die Kinder lauschten andächtig. Schließlich zog sie mit Carlitos und Maria ins Badezimmer, ließ sie an Parfümfläschchen riechen, ließ den Fön blasen. Sogar das Mädchen lächelte über den warmen Wind im Gesicht.

Dann öffnete Herta Köberle den Wasserhahn über der Wanne, und das Wasser lief ein. Die Kinder staunten. Sie ließen den dampfenden Strahl nicht aus dem Auge. Es fand sich ein Schiffchen, ein Badepüppchen, ein kleiner Gummiball, der auf den Wellen hüpfte. Grünes Bade-Gel tropfte ins Wasser, zerfaserte, begann herumzuwirbeln und sich aufzulösen. Die Wanne füllte sich mit Schaum. Großäugig standen die Kinder vor diesem schillernden Gebilde, das immer höher wuchs. Der Junge bohrte seinen Finger in die regenbogenfarbenen, zitternden Blasen, dann griff er sich eine Handvoll Schaum aus der Wanne.

Herta Köberle schlüpfte aus den Schuhen, schürzte ihren Rock, stieg in den Schaum und bedeutete den Kleinen durch Handbewegungen, zu ihr in die Wanne zu kommen. Der Junge begriff sofort, was von ihm erwartet wurde. Die Lust auf ein neues Vergnügen gab ihm Mut. Er trug nur eine kurze, ausgefranste Hose. Er streifte sie ab und kletterte in den Schaum. Er kreischte und jauchzte und rief seine Schwester, aber sie blieb argwöhnisch vor der dampfenden Wanne stehen.

Schon war Herta Köberles Rocksaum naß geworden, und Carlitos' vergnügte Spritzerei hinterließ Flecken auf ihrer Bluse. Sie stieg aus der Wanne, trocknete sich ab und schlüpfte wieder in ihre Schuhe.

»Steig auch hinein, Maria«, sagte sie zu dem Mädchen und zeigte in die Wanne.

Aber das Kind schüttelte den Kopf.

»Maria, vén!« rief der Junge und machte ihr heftige Zeichen, die einem Befehl glichen.

Maria wandte den Kopf zwischen Herta Köberle und Carlitos hin und her. Ihre Hände öffneten und schlossen sich. Sie wollte etwas sagen, ihre Lippen bewegten sich. Aber sie blieb stumm. Sie tat Herta Köberle leid.

»Maria!« rief Carlitos noch herrischer und bespritzte

seine Schwester mit einer Handvoll schaumigen Wassers. Maria fuhr erschrocken zurück.

»Nicht, Carlitos, nicht so«, sagte Herta Köberle zu ihm. Aber zugleich wurde ihr wieder bewußt, daß er sie nicht verstehen konnte. Da verließ sie das Badezimmer. Sie belauschte draußen auf dem Flur, was drinnen geschah. Sie hörte, wie die Geschwister miteinander sprachen, hörte die Stimme der Schwester lauter und unbefangener klingen, hörte Geplätscher und Gelächter. Nicht nur der Junge, auch das Mädchen lachte!

Sie lief in Juttas Umkleideraum und hob aus dem Kleiderschrank einen Stoß verschiedenfarbiger T-Shirts heraus. Hastig breitete sie sie auseinander und suchte das kleinste Hemd aus: ein hellblaues mit dem Aufdruck HARVARD UNIVERSITY. Es war schmal und unproportioniert lang und damit genau richtig für den Zweck, den sie im Auge hatte. Jutta besaß ja so viele Blusen. Ihr kam es auf eine mehr oder weniger sicher nicht an. Dann wählte sie unter Juttas zahllosen Gürteln einen blauen aus und unter Juttas Höschen das kleinste. Gewiß, es war immer noch zu groß für eine magere Neunjährige – aber wenn man das Gummiband enger machte?

Als sie an Carlitos dachte, fiel ihr die Sofapuppe ein. Sie lief hin und schaute ihr unter die Röcke. Um die prallen Zelluloidschenkel puffte sich eine gelbe Trikothose, deren Beine bis unter die Knie reichten. Carlitos war kaum größer als die Puppe. Diese Hose konnte ihm vielleicht noch passen. Sie zog sie unter der Krinoline hervor und trug Bluse, Gürtel und Hosen ins Badezimmer.

Es hatte alles genau nach Wunsch geklappt: Beide Kinder saßen in der Wanne, und Carlitos winkte ihr entgegen, während Maria verlegen zu ihr aufblinzelte. Herta Köberle tat unbefangen. Erst wusch sie dem Jungen den Kopf, dann dem Mädchen. Sie gab ihnen einen Waschlappen, mit dem sie ihre Augen vor dem Seifenschaum schützen konnten, und sie hielten still und vertrauten ihr.

Eine gute halbe Stunde später schob sie die beiden Kinder vor ihren Mann, der erstaunt von seiner Zeitschrift aufsah. Die Nasen war geputzt, die Finger- und Fußnägel geschnitten, die kleinen Körper strahlend sauber. Sorgfäl-

tig gestutzt und gescheitelt fiel ihnen das Haar in locke-
ren Wellen in die Stirn. Stolz betastete Carlitos seine gelbe Hose. Maria war kaum wiederzuerkennen: eine
Schönheit von einem Kind! Juttas T-Shirt reichte ihr bis
knapp an die Knie, war also zu einem Kleid geworden.
Nur der Halsausschnitt war viel zu weit für sie und ent-
blößte ihre vorstehenden Schlüsselbeine. Aber Herta Köberle hatte ihr eine Kette aus weißen Glasperlen um den
Hals gelegt – ein Stück aus ihrer Schatulle.

»Sind das nicht hübsche Kinder?« fragte sie. »Schau dir
dieses prachtvolle Haar an! Ein Jammer, daß sie in der
Gosse verkommen sollen. Ich werde Jutta fragen, ob es
nicht möglich ist, gewissenhafte Pflegeeltern für sie zu
finden. Denn ich bin sicher, daß etwas aus ihnen zu machen wäre.«

»Pflegeeltern?« fragte er erstaunt. »Sind es denn Wai-
sen?«

Sie sah ihn betroffen an.

»Mag sein, daß sie noch Eltern haben«, sagte sie dann
entschlossen. »Jedenfalls sind es gewissenlose Eltern.
Man muß sie ihnen wegnehmen. Es muß doch auch hier
Gesetze geben, die Minderjährige vor solchen Eltern
schützen.«

»Was geht dich das an?« fragte er.

»Aber ich hab sie ins Herz geschlossen, Kurt, und ich
glaube, sie mögen mich auch ein bißchen. Sie heißen Maria und Carlitos.«

»Was du dir für Mühe machst«, sagte er kopfschüttelnd, »und alles für die Katz. Kaum wirst du sie auf die
Straße entlassen haben, werden sie sich wieder im
Schmutz wälzen. Statt daß du diese einmaligen Tage dazu
verwendest, dich zu erholen –«

»Das verstehst du nicht«, sagte sie.

Den Jungen an der einen Hand, das Mädchen an der
anderen, zeigte sie den Kindern den Garten. Sie ließ sie an
den Rosen riechen. Sie blies ihnen Juttas Wasserball auf
und ließ sie damit spielen: Maria rollte ihn über die zur
Brüstung hin leicht abschüssige Rasenfläche hinunter,
Carlitos schoß ihn zurück. Als er das Schwimmbassin
entdeckte, wollte er Gras und Kies hineinwerfen,
schließlich selbst hineinspringen. Im letzten Augenblick

konnte ihn Herta Köberle am Arm packen und zurück-
reißen.

»Er hat keine Ahnung von der Gefahr«, rief sie ihrem
Mann zu.

Um ihn vom Bassin abzulenken, ging sie mit ihm zur
Brüstung. Das Mädchen schloß sich ihnen an. Sie zeigte
ihnen das Meer und die Möwen und die Schiffe am Horizont. Dann hob sie sie hoch, daß sie, bäuchlings auf der
Brüstung liegend, über die Mauer hinunter auf die Hüt-
tendächer sehen konnten.

Carlitos zappelte so sehr, daß Herta Köberle ihn mit
beiden Händen festhalten mußte. Sogar Maria wurde lebhaft. Offensichtlich wollten beide Kinder die Aufmerksamkeit einer Frau auf sich ziehen, die zwischen zwei
Hütten Wäsche aufhängte. Aber die schaute nicht herauf.
Sie konnte wohl dort unten, zwischen lärmenden Kindern und kläffenden Hunden, die Rufe aus der Höhe
nicht hören.

»Mamá!« rief Maria immer wieder.

»Seid ihr von dort unten?« fragte Herta Köberle bestürzt, erinnerte sich aber im gleichen Augenblick, daß
die Kinder sie ja nicht verstehen konnten.

Sie wollten gar nicht mehr weg von der Brüstung. Sie
konnten sich an dem Ort nicht satt sehen, bis Herta Köberle ihnen begreiflich machte, daß es jetzt wieder etwas
zu essen geben sollte. Da vergaßen sie alles um sich herum. Ihre Augen glänzten.

Kaum von der Brüstung hinuntergeklettert, rannten sie
quer über Beete und Rabatten auf den Terrasseneingang
zu. Herta Köberle sah mit Entsetzen, daß sich Carlitos in
vollem Lauf dem Schwimmbassin näherte, das auf seinem
Weg zur Terrasse vor ihm lag und auf Rasenhöhe in den
Boden eingelassen war.

»Halt, halt!« schrie sie verzweifelt.

Aber Carlitos begriff nicht, daß sie *ihn* meinte. Er rannte weiter und stürzte kopfüber ins Wasser, das an dieser
Stelle zwei Meter tief war.

»Kurt!« schrie sie gellend. »Er ist ins Bassin gefallen!«

Sie lief an den Rand des Beckens und streckte hilflos die
Arme nach dem schwarzen Schopf aus, der eben wieder
auftauchte. Auch Maria, die das Bassin umrundet und die

Terrasse schon fast erreicht hatte, kehrte um. Aber als sie Carlitos' Kopf im Wasser entdeckte, fing sie zu lachen an. Sie, die Stille, sie lachte!

Herta Köberle war sprachlos. Erkannte Maria denn nicht die Gefahr, in der ihr Bruder schwebte?

Sie sah ihren Mann aufspringen, die Zeitschrift wegschleudern und herbeilaufen. Unterwegs verlor er eine Sandale. Sie blieb mitten auf dem Rasen liegen. Dann verlor er auch die andere. Er stürzte auf den Rand des Bassins zu und zog sich das Hemd über den Kopf – so heftig, daß ein Knopf absprang.

»Spring! Um Gottes willen, spring!« schrie sie in höchster Angst. »Bevor er wieder untergeht –«

Zugleich durchfuhr sie ein neuer Schreck: Wie, wenn Kurts Herz den plötzlichen Sprung aus der Hitze ins kühle Wasser nicht überstand?

Als er in aller Eile seinen Hosenriemen öffnete, stutzte er: Carlitos war nicht wieder untergegangen. Mit lachendem Gesicht, prustend und spuckend, schwamm er auf den Beckenrand zu.

»Er kann ja schwimmen«, sagte Kurt Köberle verblüfft.

»Mein Gott«, ächzte sie erleichtert, »er kann schwimmen. Wer hätte das gedacht? Und ich sah ihn schon ertrunken –«

Sie ließ sich erschöpft auf den Rasen neben das Bassin fallen.

»O Kurt«, seufzte sie, »ich hab dich in solche Aufregung versetzt. Wo dir doch der Arzt –«

»Ja, ja, ich weiß«, knurrte er. »Ich bin ja noch am Leben. Aber da siehst du, was für eine Verantwortung du mir mit solchem Kinderbesuch auflädst. Stell dir vor, der Kleine wäre ertrunken: Nicht nur wir, auch Ernesto und Jutta wären in die größten Schwierigkeiten geraten.«

»Wer denkt denn aber auch an so etwas«, murmelte sie.

Inzwischen war Carlitos auf den Rand des Bassins geklettert, stand triefnaß vor Kurt Köberle und schaute halb verlegen, halb erstaunt zu ihm auf.

»Ich wette, der wundert sich noch, warum ich mir das Hemd vom Leib gerissen habe«, sagte der Mann lachend. »Jetzt such wenigstens den Knopf, du Schlingel!«

»Er versteht dich doch nicht, Kurt«, mahnte sie.

Kurt Köberle hob sein Hemd auf, winkte beide Kinder mit dem Finger heran, wies auf einen der anderen Knöpfe, zeigte in einem weiten Kreis auf den Rasen und rief: »Allez hopp!«

Die Kinder begriffen sofort. Sie krochen auf allen vieren um ihn herum, während er sich das Hemd wieder über den Kopf zog. Sie bogen die kurzgeschnittenen Grashalme auseinander, und Carlitos nötigte den Mann durch Zeichensprache sogar dazu, erst den einen, dann den anderen Fuß zu heben.

»Na, nun laßt nur«, sagte Herta Köberle milde. »Ein Hemdenknopf ist ja nicht unersetzbar.«

Aber die Kinder, die sie nicht verstanden, suchten eifrig weiter. Carlitos kroch auf dem Rand des Bassins entlang und hinterließ nasse Spuren. Plötzlich stieß er einen Jauchzer aus und sprang kopfüber ins Bassin. Das Wasser spritzte hoch auf. Herta Köberle fuhr erschrocken zurück.

»Was macht er denn?« rief sie. »Schau dir das an: Er geht *doch* unter!«

»Er taucht, der Tausendsassa«, sagte ihr Mann und schlug sich amüsiert auf die Schenkel. »Ich wette, er ist aus den Hütten unten am Strand. *Deshalb* kann er schwimmen wie ein Frosch!«

»Ja«, sagte sie bekümmert, »dort kommt er her.«

Mit strahlendem Gesicht tauchte Carlitos schon wieder auf. In seiner Hand schwenkte er stolz den Hemdenknopf.

Kurt Köberle fing zu lachen an. Er lachte, daß er rot anlief. Die Kinder sahen erstaunt zu ihm auf.

»Herta«, rief er seiner Frau zu, die gerade ihre naßgespritzte Brille trockenwischte, »der Bursche gefällt mir, er macht Unmögliches möglich.«

Er beugte sich zu Carlitos hinab, der auf den Beckenrand geklettert war und ihm auf flacher Hand den Knopf hinhielt, und sagte, indem er den Knopf nahm und dafür eine Münze auf die Hand legte: »Brav gemacht, kleiner Mann.«

Der Junge betrachtete überrascht die Münze, biß darauf, schwenkte sie in erhobener Hand und zeigte sie freudestrahlend seiner Schwester.

»Gracias, mil gracias, señor«, sagte das Mädchen leise.

Kurt Köberle lachte und sagte: »Herta, könntest du mir ein paar Münzen aus dem Haus holen?«

»Münzen?« fragte sie. »Die haben wir doch gestern alle vor der Kirche verbraucht. Und was willst du hier im Garten mit Geld?«

»Laß dich überraschen«, sagte er schmunzelnd. »Ich glaube, ich kann dir gleich eine zünftige Zirkusnummer bieten. Aber ohne Münzen funktioniert sie nicht. Eine hatte ich noch in der Hosentasche.«

»Wo soll ich denn Münzen auftreiben?« fragte sie ratlos.

»Guck nach, ob du nicht in Juttas Bridge-Kasse ein paar Münzen findest. Den Schlüssel dazu hat dir Jutta doch gegeben. Und meine Kamera bring bitte auch gleich mit.«

Sie setzte die Brille auf, ging ins Haus und kehrte erst nach einer Weile mit seiner Kamera und ihrer Börse zurück.

»Es ist alles von Jutta«, sagte sie. »Ich hab's erst zählen müssen.«

Ungeduldig riß er ihr die Börse aus der Hand und entnahm ihr eine Münze.

»He, Kleiner«, sagte er und winkte Carlitos heran, »sieh dir das genau an.«

Der Junge betrachtete die Münze mit begehrlichem Blick.

»So«, sagte Kurt Köberle, »nun apportier mal schön.«

Damit warf er die Münze in hohem Bogen ins Bassin. Carlitos folgte ihr mit einem kühnen Kopfsprung. In Zickzackschwüngen, im Sonnenlicht immer wieder aufblitzend, sank die Münze dem Grund entgegen. Aber sie war noch nicht unten angekommen, als seine Hand auch schon wie eine Kralle nach ihr griff und sie fing. Er steckte sie in den Mund und tauchte lächelnd auf. Und schon flog die nächste Münze. Sein Kopf verschwand sogleich wieder im Wasser und kehrte kurz darauf an die Oberfläche zurück. Er erschrak vor der auf ihn gerichteten Kamera.

»Sei nur schön fleißig«, rief Kurt Köberle und warf gleich zwei Münzen auf einmal. Der Kleine schoß im

Wasser hin und her wie ein Seehund, und keine der beiden Münzen erreichte den Grund.

Herta Köberle staunte.

»Eine gute Nummer«, sagte ihr Mann stolz und kramte nach der nächsten Münze.

»Laß es genug sein, Kurt«, bat sie.

»Keine Sorge«, antwortete er, »es sind Pfennigbeträge. Ich nehme nur die Kupfermünzen. Keine davon ist mehr wert als ein Groschen.«

»Ich habe nicht das Geld gemeint, sondern das Kind«, sagte sie ungehalten. »Du läßt ihm ja kaum Zeit zum Luftholen.«

»Pah«, sagte er, »der Bursche wird schon wissen, was er sich zumuten kann. Er braucht sie ja auch nicht alle zu fangen. Im übrigen sind diese Bettelbuben zäh.«

Aber schon winkte Carlitos seiner Schwester aufgeregt aus dem Bassin zu. Er konnte nicht deutlich sprechen. Er hatte die Münzen im Mund. Sie beugte sich vor, dann nickte sie und versuchte, ihren Gürtel zu lösen.

»Nein«, rief Herta Köberle, »das geht zu weit. Das erlaube ich nicht. Ich habe mir solche Mühe mit ihrem Haar gegeben. Bitte hör auf mit dem Unsinn, Kurt.«

Verstimmt knurrte er etwas über Spielverderberei, reichte seiner Frau die Geldbörse, nahm die Kamera und kehrte auf die Terrasse zurück. Carlitos' erwartungsvolles Strahlen erlosch. Enttäuscht kletterte er aus dem Bassin, spuckte die Münzen in seine hohle Hand und zeigte sie der Schwester. Sie beugten beide den Kopf darüber und schienen zu zählen. Sie verhandelten erregt und warfen Blicke zu der Frau hinüber. Dann steckte Carlitos die Münzen seiner Schwester zu, lief zu Herta Köberle, streckte ihr seine hohle Hand entgegen und schnarrte mit todtraurigem Gesicht eine Litanei im Klageton herunter.

»Carlitos«, rief sie, »du bettelst doch nicht etwa?«

Er zeigte auf ihre Börse und wiederholte seine Litanei.

»Pfui, Junge«, sagte sie entrüstet, »das tut man nicht. Das ist nicht fein.«

Sie nahm ihn bei der Hand und ging mit ihm ins Haus. Maria folgte ihnen.

»Ihre Eltern müssen wirklich Rabeneltern sein«, sagte sie empört, als sie an ihrem Mann vorüberkam.

»Sie haben sie zum Betteln abgerichtet!«

»Schick sie jetzt heim«, sagte er mürrisch. »Du siehst ja, sie bringen uns nur Unruhe, und ändern kannst du sie sowieso nicht mehr.«

»Und *wie* ich sie ändern könnte!« rief sie. »Ich glaube an das Gute im Menschen, Kurt!«

»Ich weiß, ich weiß«, beschwichtigte er sie mit ironischem Lächeln, »Gott erhalte dir deinen Glauben. Aber sie gehen uns nichts an, diese wildfremden Kinder –«

»Und wenn ich sie Ernesto und Jutta vorstelle?« fragte sie. »Vielleicht würden sie selbst – wo sie doch genug Geld und Platz und Personal haben –«

»Ich glaube, du bist nicht recht gescheit!« rief er. »Siehst du denn nicht, daß das kleine Indios sind? Indianer!«

Sie sah die Kinder nachdenklich an. »Aber sie sind so süß«, seufzte sie, »und so lieb –«

»Das gebe ich ja zu«, sagte er. »Aber du mußt doch auf dem Teppich bleiben. Meinetwegen beschäftige dich mit ihnen, wenn du dich langweilst. Aber danach schick sie heim. Und hör bitte auf, dich für sie verantwortlich zu fühlen. Übrigens möchte ich dich daran erinnern, daß längst Kaffeezeit ist.«

»Ach du meine Güte«, sagte sie erschrocken mit einem Blick auf ihre Armbanduhr. Sie legte die Geldbörse auf den Tisch, nahm die Kinder an der Hand und eilte mit ihnen in die Küche. Dort stellte sie das Kaffeewasser auf und goß den Kindern ein Glas Milch ein. Sie füllte eine große Plastiktüte mit Bananen, Butterkeksen, Speck, Weißbrot, Schokolade und einer Dauerwurst, die sie in der Speisekammer gefunden hatte, und gab Maria eine kleine Tüte für die Münzen, die das Kind umklammert hielt. Aus dem Badezimmer, in dem alles in bunter Unordnung herumlag, holte sie die Lumpen der Kinder und stopfte sie in eine dritte Tüte. Zwischendurch trug sie rasch das Tablett mit dem Kaffeegeschirr samt dem Kuchenrest vom Vortag auf die Terrasse.

»Der Kaffee ist gleich fertig, Schatz«, sagte sie, schob die Geldbörse in die Tasche ihres Hauskleids und deckte den Tisch.

»Steck ihnen kein Geld zu«, sagte er finster. »Das versäuft doch nur ihr Lump von Vater.«

Als sie in die Küche kam, schob ihr Carlitos das leere Milchglas hin und sagte: »Más.«

Sie füllte ihm noch einmal das Glas, goß den Kaffee auf, trug ihn auf die Terrasse und sagte hastig: »Ich komme gleich, Kurt, ich will nur noch die Kinder hinausbringen.«

Sie faßte Marias und Carlitos' Hände und zog die Kinder sanft von ihren Stühlen. Sie gab Maria, die einen sehnsüchtigen Blick zum Sofa warf, die prallvolle Tüte. Carlitos bekam den Beutel mit den Lumpen zu tragen. Dann schob sie die Kinder durch die Küchentür in den Vorgarten hinaus. Die Hunde begannen zu bellen und sprangen am Gitter hoch. Aber die Kinder zeigten keine Angst mehr.

Maria schaute mit traurigen Augen zu Herta Köberle auf. Diese strich ihr übers Haar und sagte zärtlich: »Komm wieder, ja?« Dann beugte sie sich zu dem Jungen hinunter. Betroffen stellte sie fest, daß er in nassen Hosen herumlief. Ihn schien das nicht zu stören. Er legte die Arme um ihren Hals und drückte ihr einen Kuß auf die Backe.

»Lebt wohl, meine Süßen«, seufzte sie und öffnete das Tor. Nur zögernd verließen die Kinder den Vorgarten. Gerührt erkannte sie, wie gern sie geblieben wären. Und dann fiel ihr ein, daß sie vergessen hatte, Maria die Kette wieder abzunehmen. Sie winkte das Kind noch einmal zu sich heran. Seine Augen füllten sich mit Hoffnung, aber als ihm Herta Köberle die Kette vom Hals nahm, brach es in Tränen aus.

»Dann behalt sie eben«, sagte sie sanft. »Es ist ja nur Modeschmuck.«

Sie wollte ihm die Kette wieder umlegen. Aber der Verschluß war so winzig, und das lange Haar war im Weg. Sie konnte nichts sehen, und die Brille lag auf dem Küchentisch. Von der Terrasse her hörte sie ihren Mann rufen. Seine Stimme klang energisch. Aber sie konnte nicht verstehen, was er rief. Die Hunde bellten so laut.

»Einen Moment«, sagte sie, gab Maria die Kette in die Hand und lief ins Haus. Sie ließ Gartentor und Küchentür weit offenstehen.

»Sind sie noch immer nicht weg?« knurrte er, als sie atemlos auf der Terrasse ankam.

»Ich bin gerade dabei, mich von ihnen zu verabschieden.«

»Wolltest du nicht mit mir zusammen Kaffee trinken?« fragte er vorwurfsvoll. »*Diesen* Kaffee kannst du jedenfalls nicht mehr trinken. Er ist inzwischen lauwarm, und Moskitos schwimmen drin rum.«

»Hättest du mich nicht gerufen, säße ich jetzt schon bei dir«, antwortete sie, ihrerseits verstimmt. »Die Kinder stehen am Tor und warten auf mich.«

»Du ermunterst sie doch nicht etwa, wiederzukommen?«

»Wie sollte ich? Sie können mich ja nicht verstehen.« Nachdrücklich fügte sie hinzu: »Aber ich würde mich freuen, wenn sie wiederkämen. Gib doch zu, daß du sie auch nett findest.«

Er hob den Kopf und lauschte.

»Sagtest du nicht, sie warten am Tor?« fragte er verdutzt. »Ich habe eben Geräusche im Wohnzimmer gehört –«

Er erhob sich schwerfällig aus seinem Stuhl und spähte durch die Terrassentür ins dämmrige Innere des Hauses.

»Nichts«, sagte er. »Ich muß mich geirrt haben.« Während er sich seufzend in den Sessel zurückfallen ließ, lief sie zum Tor. Die Hunde gebärdeten sich wie toll. Die Kinder waren nicht mehr da.

»Carlitos! Maria!« rief sie und spähte auf die Straße. In der Ferne rannten zwei Kinder davon: ein gelber Tupfen, ein hellblaues Fähnchen. Verblüfft sah sie ihnen nach, schloß dann enttäuscht das Tor und kehrte kopfschüttelnd ins Haus zurück. Warum waren sie so plötzlich verschwunden? Weit und breit war doch kein Polizist zu sehen gewesen.

Als sie durch das Wohnzimmer ging, fiel ihr Blick auf das Sofa. Ihr schien, als hätte sich dort etwas verändert. Es sah so leer aus. Das gewohnte Bild war irgendwie in Unordnung geraten. Etwas fehlte – aber was?

»Nun komm doch endlich«, mahnte ihr Mann von der Terrasse her.

Plötzlich begriff sie und stand wie vom Donner gerührt.

»Kurt«, rief sie, »die Puppe ist weg!«

»Die Puppe?« fragte er zerstreut. »Was für eine Puppe?«

»Die Sofapuppe!«

Er stand auf und kam zu ihr ins Wohnzimmer.

Sie blickte ihn verstört an: »Als ich mit den Kindern zum Tor ging, hat sie noch dagesessen, das weiß ich ganz genau! Maria hat noch zu ihr hinübergeschaut.«

»Na bitte«, sagte er, »habe ich nicht im Wohnzimmer Geräusche gehört? Als du mit mir gesprochen hast, müssen sie hinter deinem Rücken wieder hereingekommen sein, und schwupp! – mit der Puppe auf und davon!«

»Das kann ich einfach nicht glauben«, sagte sie niedergeschlagen.

»Du machst den Fehler, diese Leute mit *deinem* Maßstab zu messen«, sagte er milde.

»Was sage ich jetzt Jutta?« klagte sie.

Er legte den Arm um sie und sagte tröstend: »Da müssen wir uns eben für die Schwiegermama eine Geschichte ausdenken. Könnte sich nicht einer der Hunde auf die Puppe gestürzt und sie zerfetzt haben? Das klingt glaubhaft, und die Hunde können dafür nicht bestraft werden, denn sie sind Ernestos Lieblinge.«

»Daß die Puppe weg ist«, seufzte sie, »ist schlimm. Aber noch mehr tut es mir weh, daß es die Kinder waren. Wie *konnten* sie nur!«

»Weißt du noch«, sagte er mit nachsichtigem Lächeln, »wie du gleich nach unserer Ankunft, auf der Fahrt vom Flughafen zur Stadt, so schockiert warst über Ernesto, als er rechts und links auf die Slums zeigte und sagte: ›Hier wohnen nur Halbaffen‹? Nun siehst du, daß er nicht so ganz unrecht hatte. Läßt du Schimpansen in deine Wohnung, werden sie sich unter den Arm klemmen, was ihnen gefällt, und damit verschwinden. Mach uns einen neuen Kaffee. Mit einem heißen Kaffee kommst du schneller darüber weg. Und was die Puppe betrifft, meine Liebe, bin ich den Gören fast dankbar. Dieses Scheusal ärgerte mich jedesmal, wenn ich am Sofa vorbeikam.«

Der Hütte gaben nur die in die Erde gerammten Eckpfeiler Halt. Sie stand auf einem Pfahlgeviert zwischen anderen Hütten stelzbeinig im Sand. Ihr Boden und die Wände bestanden aus rohen Brettern, die Rückwand im Windschatten waren plattgedrückte Pappschachteln, auf Latten genagelt. Kinder hatten die Pappe von außen mit schlammigen Fingern bemalt: hier eine Obszönität, dort einen Kranz aus Orangen und Bananen. Buchstaben waren nirgends zu sehen. In dieser Gegend konnte kein Kind schreiben.

Zwischen der Hütte und der Nachbarhütte hingen tropfende Lumpen an einer Wäscheleine. Im Schatten des überstehenden Wellblechdachs saßen zwei Frauen auf einem flachen Felsvorsprung, der sich im Sand verlor. Die eine, hager und welk, mit dem schlaffen Bauch einer, die oft geboren hat, stillte einen Säugling. Die andere, eine Vollbusige, war damit beschäftigt, sich die Fingernägel knallrot zu lackieren.

»Recht hast du gehabt, daß du sie noch mal hingeschickt hast«, sagte die Vollbusige. »Das müssen Gringos sein, von der gutmütigen Sorte. Die haben sich an unsereinem noch nicht satt gesehen. Die muß man melken, solange sie sich melken lassen.«

»Aber ich hätte selbst mitgehen sollen«, jammerte die mit dem Säugling.

»Du mit deinen Zahnlücken und dem Hängebauch? Du tust niemandem leid. Die dort sagen nur igittigitt, wenn sie dich zu sehen kriegen.«

»Aber wenn die Polizei sie erwischt hat? Oder wenn der Gringo ein Geiler ist?«

Die Vollbusige lehnte sich an einen Pfahl, hob beide Hände, um die Nägel trocknen zu lassen, und spreizte die Beine. Sie starrte in das stinkende Rinnsal des Abwassers, das zwischen den Hütten hindurch zum Meer hinuntersickerte.

»Ein paar Jahre früher oder später, Jacinta – was tut's?« seufzte sie. »Eines Tages ist die Maria auch dran. Mich hat der erste in die Mangel genommen, als ich kaum zehn war. Ich hatt noch keinen Busen. Damals fand ich's scheußlich. Inzwischen kann mich nichts mehr erschüttern. Ich meine, mit Männern.«

»Ja, du«, sagte Jacinta.

»Hauptsache, daß man nicht verhungert«, sagte die Vollbusige. »Daß man überlebt. Sonst ist's aus. Punkt. Schluß. *Deshalb* hast du die Maria wieder hinaufschikken müssen.«

»Sie wär mir schon dreimal fast gestorben«, murmelte Jacinta. »Und sie hat immer so große Angst –«

Ein Rudel halbnackter Kinder wieselte zwischen den Hütten herum. Ein kleiner Junge scherte aus der Gruppe aus, hockte sich unweit der beiden Frauen nieder und drückte ein Häufchen in den Sand. Dann rannte er den anderen nach.

»Schwein!« brüllte ihm die Vollbusige nach. »Kannst du nicht wenigstens Sand drüberscharren?« Sie wandte sich Jacinta zu: »Wir hausen hier in einem einzigen Scheißhaufen! Stimmt doch – oder? Hundekacke und Menschenkacke, wohin man tritt.«

»Sie müßten längst zurück sein, Alberta«, seufzte Jacinta.

»Das einzige Klo, das es hier gibt, ist drüben im Puff«, sagte Alberta. »Das ist ein Skandal. Einer, der immer nur mich verlangt, hat das neulich auch gesagt, jeder Mensch hat ein Recht auf ein Klo. Wenn der wüßte!«

»Sie müßten längst zurück sein«, wiederholte Jacinta lauter.

»Von Bellavista herunter ist's weit«, sagte Alberta. »Sie müssen ja ganz außenrum. Und wenn sie viel zu schleppen haben, dauert's noch länger.«

»Ich hätt ihr die Maribel statt Carlitos mitgeben sollen«, sagte Jacinta. »Die läßt sich nichts gefallen. Die traut keinem. Und sie wär auch so gern gegangen –«

»Die Maribel? Die hätt alles verdorben. Mit ihrem Grind –«

»Aber sie ist so gut, so gut«, schluchzte Jacinta.

»Wer weiß das?« fragte Alberta hart.

»Sie haben sie nur kaputtgemacht, damals im Gefängnis.«

»Ich weiß, ich weiß«, sagte Alberta. »Warum hat *sie* nicht sterben können statt der Inéz? So ein hübsches Kind. Mit der hatte ich schon fest gerechnet. Die hätt

ich ohne Wenn und Aber bei uns im ›Paraiso‹ unterge-
bracht. Die hätt euch Geld heimgetragen!«

Aus der Hütte tönte eine heisere Männerstimme: »Jacinta!«

Die Frau gab Alberta den Säugling zu halten, kletterte die vier Leitersprossen hinauf und schlüpfte unter
dem Sack durch, der als Vorhang vor der Türöffnung
hing. Gestank schlug ihr entgegen. Aus dem Halbdunkel schimmerte das magere Gesicht eines Mannes, der
auf einem verrosteten Feldbett lag.

»Wasser«, sagte er.

»Der Tankwagen ist noch nicht da«, antwortete sie
bedrückt.

»Und die Kinder?«

Sie schüttelte den Kopf. Draußen hörte sie den Säugling schreien.

»Lauf und such sie!« herrschte er sie an. »Du hast sie
ja hinaufgeschickt!«

»Wo soll ich sie suchen?« klagte sie. »Ich weiß doch
nicht, in welcher Villa sie sind!«

»Luder, verdammtes!« schrie er sie an, griff nach dem
Plastikeimer, der neben der Pritsche stand, und warf
ihn nach ihr. Mit einem Jammerlaut flüchtete sie hinaus. Braune, stinkige Brühe ergoß sich über die Holz-
stufen.

»Monster«, knurrte Alberta und reichte ihr das Kind.

»Er hat eben Durst«, sagte Jacinta müde. »Das Fie-
ber. Mal rauf, mal runter. Das geht jetzt schon die
zweite Woche so. Und der Durchfall. Jetzt kommt er
nicht mal mehr auf die Beine. Das macht ihn verrückt.
Und daß die Inéz tot ist. Die hat er doch immer vorge-
zeigt. Sie war ihm die liebste. Es kommt alles zusammen.«

Sie legte den Säugling wieder an die Brust. Es wurde
still. Nur aus der Ferne hörte man eine wütende Mäd-
chenstimme und Kindergeschrei.

»Ist das nicht die Maribel?« fragte Alberta und begann ihre Fußnägel zu färben.

»Sie schrubbt die Kinder am Strand«, sagte Jacinta.

»Du hast zu viele.«

»Was?« fragte Jacinta.

»Kinder. Immer noch, auch wenn die Inéz tot ist. Und jetzt noch dein Pancho. Das wächst dir übern Kopf, Jacinta.«

»Ja«, heulte Jacinta, »es wächst mir übern Kopf. Borg mir fünfzig Centavos, Alberta, der Tankwagen wird gleich kommen.«

»Wenn du nicht meine Schwester wärst«, sagte Alberta verstimmt, »könntest du mir den Buckel runterrutschen. Meinst du, meine Arbeit wär ein Honiglecken? Und was wird, wenn ich zu alt dazu bin? Auch wenn noch mehr von deinen Kindern verrecken – ein paar werden dir bleiben. Mich aber, mich wird niemand erhalten!«

Der Säugling ließ die Brust los und begann zu schreien.

»Der Panchito wird nicht mehr satt«, schluchzte Jacinta. »Wo er doch schon die Anfälle hat. Seit mich der Pancho so verdroschen hat, kommt fast nichts mehr.«

»Männer sind Schweine«, knurrte Alberta. »Nein, sag nichts. Alle.«

»Es war doch wegen der Inéz«, murmelte Jacinta.

»Und was kannst *du* dafür, daß sie hin ist? Das Zeug aus den Mülltonnen war dran schuld. Sie hat ja wie wild davon gefuttert. Es wird schon was Wahres dran sein: daß die da oben Rattengift in die Tonnen streuen, damit sie uns loswerden.«

»Aber wir *leben* doch von dem Zeug aus den Tonnen!« rief Jacinta.

»Eben«, sagte Alberta trocken. »Das wissen die so gut wie wir.«

Zwei Kinder in Lumpen kamen vorüber, schmächtige, barfüßige Mädchen, beide mit einem schlaffen Sack über den Schultern.

»Kommt ihr von oben?« fragte Jacinta hastig. Die Kinder nickten. »Habt ihr Maria und Carlitos gesehen?« Die Kinder schüttelten den Kopf und trotteten weiter. Das eine trat in den Haufen, den der kleine Junge hingedrückt hatte. Es streifte den Fuß im Sand ab. Dann lief es dem anderen Mädchen nach. Jacinta stand auf.

»Was willst du?« fragte Alberta. »Etwa hinaufgehen und nach ihnen suchen? Von Haus zu Haus fragen nach zwei Bettelkindern? Da hast du bald die Polizei auf dem Hals. Was wird dann aus deinen anderen Gören?«

»Beten hilft auch nichts«, murmelte Jacinta und setzte sich wieder.

»Nein. Unsereinem nicht. Wir sind zu tief unten.«

Jacinta begann ihren Oberkörper hin und her zu wiegen wie ein Pendel. Der Säugling hörte zu schreien auf und schloß die Augen.

Es hupte dreimal. Frauen und Kinder liefen mit Eimern vorbei.

»He, Jacinta«, sagte Alberta und stieß ihr den Ellbogen in die Seite, »der Tankwagen ist da.«

Sie fingerte ein paar Münzen aus ihrem Büstenhalter, reichte sie der Schwester und nahm ihr den Säugling ab, der wieder zu schreien anfing. Jacinta stürzte in die Hütte, griff nach dem schmutzigen Eimer, rannte zum Strand, watete dort in die auslaufenden Brandungswellen und spülte den Eimer aus. Dann hastete sie zum Tankwagen. Den vollen Eimer schleppte sie zur Hütte. Teures Wasser. Einen ganzen Tag mußte es reichen – oder länger, wenn sie bis zum nächsten Tankwagen nicht zu Geld kam. Alberta hatte es gut. Die bekam Wasser im »Paraiso«, soviel sie wollte.

Sie füllte das Wasser in eine alte Emailschüssel um und gab ihrem Mann zu trinken. Er trank zwei, drei, vier zerknitterte Pappbecher aus.

»Sind sie jetzt gekommen?«

»Noch nicht, aber gleich«, antwortete sie, zog den Kopf ein und floh hinaus zu Alberta. Die kam gerade aus ihrer eigenen Hütte zurück. Vorsichtig stelzte sie durch den Dreck. Sie drückte Panchito an die Brust. In der anderen Hand trug sie ihr altes Kofferradio. Das stellte sie auf den Stein und schaltete es ein.

»Hier hast du Musik«, sagte sie. »Mit Musik tut alles nicht mehr so weh.«

Jacinta legte das schreiende Kind an die leere Brust, schloß die Augen und lauschte. Da prallte mitten in den Tango Marias Freudenschrei: »Schau, Mamá – die Puppe!«

Die Reparatur der Klimaanlage dauerte fast zwei Stunden. Als Marc Antonio fertig war, wischte er sich das verschwitzte Gesicht mit der Pyjamahose ab.

»Verdammt anständig von dir, mir aus der Klemme zu helfen«, sagte Victor. »Was willst du dafür?«

»Wenn's *dein* Wagen wäre, würde ich keinen Centavo dafür nehmen«, knurrte Marc Antonio und spuckte in weitem Bogen aus. »Aber deinem Boß schenke ich nichts. Für den habe ich drei Stunden gearbeitet statt zwei.«

»Einverstanden«, sagte Victor. »Das kann er nicht nachprüfen. Aber verlang nicht mehr als den Durchschnittspreis, den eine Werkstatt für diese Reparatur verlangen würde. Sonst könnte er annehmen, ich zweige etwas für mich ab.«

»Was du ja auch gern tun würdest«, meinte Marc Antonio trocken, »wenn's kein Risiko wäre.«

Das überhörte Victor.

Er fuhr fort: »Er hat mir Geld gegeben, bevor er abgeflogen ist. Für Eventualitäten, wie er sich ausgedrückt hat. Ich muß genau abrechnen. Schreib mir eine Quittung.«

»Wer ist der Lehrer, du oder ich?« knurrte Marc Antonio. »Schreib was hin. Ich unterschreib's. Basta.«

»Mit ein paar Jahren Schule hättest du's weit bringen können«, sagte Victor. »Du brauchst einen Wagen nur anzuschauen, und schon weißt du, was dran kaputt ist.«

»Ach hör auf«, sagte Marc Antonio schroff. »Meine Mutter hat sich schon mit diesem einen lächerlichen Schuljahr übernommen, als Dienstmädchen und ohne Mann. Ich hab dich damals beneidet, als ich aus der Schule raus mußte und du weitergehen konntest. Du hattest eben einen Trambahnschaffner zum Vater. Aber bist du jetzt vielleicht besser dran als ich? Mit deinen ich weiß nicht wie vielen Schuljahren mußt du vor so einem stinkreichen Pinkel kuschen!«

»Das steht auf einem anderen Blatt«, erwiderte Victor finster.

Aber Marc Antonio ließ nicht locker: »Ja, du mit deiner Politik. Herrliche Ideen setzen die Lehrer den Schülern in den Kopf, Ideen von Freiheit und Gleichheit und Gerechtigkeit, Ideen zum Träumen, und allesamt ein paar

Nummern zu groß für unsere beschissenen Verhältnisse. Sie haben dich verführt, deine Lehrer. Wenn unsereiner verrät, daß er lesen und schreiben kann, ist er schon verdächtig. Geld muß der Mensch haben! Geld ist Macht, Victor. Nur wenn man Geld hat, macht sich Bildung bezahlt.«

»Du hättest auch ohne Geld mehr Möglichkeiten gehabt«, sagte Victor hitzig. »Mit mehr Bildung hättest du bessere Arbeit gefunden.«

»Laß nur«, sagte Marc Antonio trübe, »ich wär schon zufrieden gewesen, wenn ich die Arbeit im Camp behalten hätte. Sie wird gut bezahlt. Bei den Bohrtürmen gilt nur, was man kann. Nun werd ich mich wohl wieder mit Dreck bekleckern müssen.«

»Geh heim, Marcelina«, sagte Victor zu seiner Frau, die noch immer auf den Autoreifen saß und mit müden Bewegungen ihre Zwillinge in Schach hielt. »Es hat keinen Zweck, daß du wartest. Ich muß noch den Mercedes-Stern auftreiben.«

Sie erhob sich mit traurigem Lächeln.

»Verdammt noch mal, dieser Stern«, rief Marc Antonio. »Er liegt mir im Magen. Ich hab keinen solchen Stern. Mir ist noch nie ein Mercedes unter die Hände gekommen.«

Von einer Leine, die quer durch den kleinen Hof gespannt war, zog er sich eine Schürze seiner Frau herunter und trocknete sich damit sein schweißnasses Brusthaar.

»Du müßtest die Parkplätze und Parkhäuser in der ganzen Stadt absuchen«, meinte er. »Aber allein wirst du da nicht viel ausrichten. Und es müßte auch ein großer Zufall sein, wenn du auf diese Art einen Stern fändest. Laß uns erst ein Bier zusammen trinken. Ich bin so ausgetrocknet, daß ich knacke. Dann erledigen wir deine Schreiberei, und ich bekomme mein Geld. Und dann geh ich mit dir hinüber zu Osorio und frag ihn, was er dazu meint. Er kennt sich aus in den Vierteln, wo man sich solche Protzwagen hält. Er wird noch daheim sein und schlafen. Heute und morgen nacht stehen viele Häuser leer, und jeder zweite ist besoffen. Da zieht er mit seinen Leuten die größte Beute des Jahres an Land. Ein gerissener Bursche. Sie können ihm nichts nachweisen. Und viele *wollen* ihm auch nichts nachweisen, denn er hat Freunde bei der Polizei. Wenn *er* dir keinen solchen blödsinnigen Stern übers Wochenende verschaffen kann, dann kann's niemand – außer einer Werkstatt, die Ersatzteile von dieser deutschen Marke führt. Dort bekämst du den Stern natürlich billiger als über Osorio. Denn solche besonderen Aufträge läßt er sich gut bezahlen.«

»Alle Werkstätten sind heute geschlossen«, sagte Victor. »Heute und morgen. Und am Montag ist es zu spät. Ich muß um elf auf dem Flughafen sein. Am Montag nach dem Fest aber öffnen alle Läden und Werkstätten erst sehr spät, und viele machen am Vormittag überhaupt nicht auf.«

»Jetzt komm schon«, sagte Marc Antonio und schob Victor ins Haus.

Marcelina sah ihm nach. Sie hatte sein Gesicht beobachtet. Sie kannte Victors Gesicht sehr genau. Wenn sich seine Narben röteten, kämpfte er mit seiner Wut.

Sie weckte Juanito, der eingeschlafen war. Langsam, mit gesenktem Kopf wanderte sie heim. Die Zwillinge zerrten an ihrem Rock und wollten getragen werden. Lang fielen die Schatten auf die Straße, die wie ausgestorben dalag. Von der Innenstadt her tönte verworrene Musik.

Marcelina dachte an ihre beiden Großen. Sie halfen wohl immer noch den Festwagen schmücken. Mitfahren durften sie nicht im Festzug. Das durften nur die Söhne und Töchter der Reichsten und Mächtigsten der Stadt.

Sie beugte sich hinunter zu den plärrenden Kleinen, schneuzte ihnen die Nase und hob den Jungen auf den Arm.

»Trag du die Rosita«, sagte sie zu Juanito.

Bei dem frischen, rasch aufgebrühten Kaffee und dem Marmorkuchen begann sich Herta Köberle zu beruhigen.

»Wenn sie wenigstens nur was Eßbares gestohlen hätten«, seufzte sie. »Aber ausgerechnet die Puppe –«

»Und du wolltest diese beiden unseren Kindern aufschwatzen!« rief er.

Wortlos räumte sie den Kaffeetisch ab, über dem schon Mücken schwärmten, brachte Küche und Badezimmer in Ordnung und legte Juttas T-Shirts wieder zusammen. Als sie alle Spuren der Kinder beseitigt hatte, kehrte sie zu ihrem Mann zurück.

»Charme hatten sie, das muß man ihnen lassen«, sagte er, »aber Charme hat schließlich auch eine Katze. Das besagt nichts.«

»Man sollte sich auf keine Risiken einlassen«, murmelte sie. »Sie kosten Kraft und wecken Ängste.«

»So ist es«, sagte er und tätschelte ihre Hand. Dann griff er wieder zu einer Zeitschrift und versank schon im nächsten Augenblick in seiner Lektüre.

Sie lehnte sich zurück und schaute in den Spätnachmittagshimmel. Hoch oben über der Mauer kreisten drei Aasgeier. Träge, gelassen, lautlos schwebten sie, vom Aufwind getragen, in der Bläue. Herta Köberle sah den Himmel langsam verblassen. Sie spürte, wie auch ihre Erinnerung an die Kinder blasser wurde. Sie konnte sich kaum mehr vorstellen, daß sie noch vor einer guten Stunde mit ihnen zusammen gewesen war.

»Ich glaube, ich werde mir ein frisches Hemd anziehen«, sagte Kurt Köberle und ging ins Haus.

Da schellte es. Herta Köberle fuhr hoch und lauschte mit klopfendem Herzen. Hatte es wirklich geschellt? Sie wartete.

Es schellte abermals. Es gab keinen Zweifel. Sie horchte zum Zimmer ihres Mannes hinüber. Dort rührte sich nichts. Er hatte wohl nichts gehört. Die Klimaanlage rauschte in den Zimmern. Also mußte sie selbst handeln. Aber was, wenn draußen jemand stand, der nicht hereingelassen werden durfte?

Sie eilte durch Wohnzimmer und Eingangshalle und

betrat den Vorgarten. Die Hunde bellten wie rasend. Sie zögerte. Sie merkte, daß ihre Hände zitterten.

Da hörte sie von der Straße her eine Kinderstimme zaghaft »Señora« rufen. Das war Carlitos' Stimme! Und noch einmal, etwas lauter: »Señora –«

Sie lief die letzten Schritte bis zum Tor und öffnete es hastig: Da standen Carlitos und Maria und strahlten sie an. Aber sie waren nicht allein gekommen.

Maria streckte ihr mit einem verlegenen Gestammel die Sofapuppe entgegen. Carlitos zeigte mit einem Wortschwall zuerst auf die Puppe, dann auf die Kinder hinter ihm. Herta Köberle erkannte mit einem einzigen Blick, daß die fünf fremden Kinder Carlitos' und Marias Geschwister waren: der gleiche Augenschnitt, das gleiche Kinn, die gleichen Brauen.

Eine magere Halbwüchsige mit erschreckend alten Gesichtszügen und einem verkrüppelten, einwärts gedrehten Fuß hatte ein nacktes, etwa zweijähriges Kind auf dem Arm. Zwei Buben, einen halben Kopf kleiner als Carlitos, versteckten sich hinter ihr. Sie ähnelten sich so sehr, daß Herta Köberle sie für Zwillinge hielt. An die Rockfetzen der großen Schwester klammerte sich noch ein kleines Mädchen, dessen Alter sie auf drei Jahre schätzte. Es hatte nur ein zerlumptes Höschen an. Sein Bauch war aufgetrieben.

»Maria«, rief sie überwältigt, »komm herein, mein Kind, komm herein, Carlitos –«

Die Geschwisterschar zog hinter Carlitos und Maria her auf die Eingangshalle zu. Bei dem wütenden Gebell der Hunde klammerten sich die vier kleinsten Kinder angstvoll an die ältere Schwester. Herta Köberle schob die Kinder durch die Halle ins Wohnzimmer. Sie nahm Maria die Puppe aus der Hand und trug sie zum Sofa. In diesem Augenblick kam Kurt Köberle aus dem Flur des Gästeflügels. Verblüfft und argwöhnisch starrte er die Kinder an, die sich in der Mitte des weiträumigen Wohnzimmers ängstlich zusammendrängten.

»Was soll das bedeuten?« fragte er drohend.

Seine Frau hielt ihm die Puppe hin und sagte hastig: »Ich nehme an, es sind Marias und Carlitos' Geschwister.

Ich konnte sie doch nicht draußen stehen lassen, wo das Kind so ehrlich gewesen ist, nicht wahr?«

Sie sah wie sich sein Gesicht rötete.

»Nicht aufregen, Kurt, nur nicht aufregen«, sagte sie schnell. »Es ist ja nur wegen der Puppe. Sie hat sie zurückgebracht, und da sind ihre Geschwister eben mitgekommen, weil sie auch einen Blick auf unsere Herrlichkeiten werfen wollten. Das ist doch verständlich. Sie gehen ja gleich wieder. Laß dich nicht stören. Ich kümmere mich hier drinnen schon um alles.«

»Und wenn Jutta und Ernesto später etwas vermissen?« fragte er drohend.

»Keine Sorge. Ich behalte sie alle im Auge.«

»Bei so vielen kannst du das gar nicht.«

»Sie sind scheu. Sie gehorchen mir. Sie werden sich keine Frechheiten herausnehmen.«

»Warum hast du mich nicht gefragt, bevor du sie hereingeholt hast?«

»Du warst nicht da, als es schellte. Und seit wann muß ich dich um Erlaubnis fragen?«

»Herta!«

»Bitte, Kurt, schimpf jetzt nicht. Du erschreckst die Kinder. Sie haben sich nichts zuschulden kommen lassen. Unser Verdacht war unbegründet.«

Mit finsterem Blick drehte er sich um und verschwand auf die Terrasse. Sie setzte die Puppe auf das Sofa und schloß die Glastür hinter ihm.

Die Kinder warteten, bis er sich in einen Sessel fallen ließ und nach einer Zeitschrift griff. Dann schwärmten sie auseinander, hierhin, dorthin, hastig wie Schatzsucher, denen nur für einen kurzen Augenblick gegönnt ist, die Schatzhöhle zu betreten. Carlitos erläuterte den Geschwistern die Geheimnisse der Standuhr, Maria öffnete den Kühlschrank und zeigte ihnen den Inhalt.

»Kinder, kommt, wir schauen uns alles gemeinsam an«, rief Herta Köberle und klatschte in die Hände. Aber niemand beachtete sie.

»Al baño!« rief Carlitos mit einer Feldherrngeste und führte seine beiden kleineren Brüder ins Badezimmer.

Herta Köberle wagte nicht, ihnen nachzugehen, denn in der Küche zogen Marias Trabanten gerade alle Schubladen auf. Aber als kurze Zeit später lautes Geschrei aus dem Badezimmer tönte, stürzte sie doch hinüber. Carlitos hatte die Gel-Flasche in der Hand. Aus der Badewanne dampfte es. Schaum türmte sich auf. Im Dunst standen die Zwillinge und brüllten: Sie hatten sich an dem heißen Strahl aus dem Wasserhahn die Finger verbrannt. Und schon griff sich Carlitos den Fön vom Badeschrank. Herta Köberle entwand den Apparat seinen Händen und versuchte, die drei Buben aus dem Badezimmer zu locken, lief aber zurück ins Wohnzimmer, als sie die Mädchen dort lärmen hörte. Maria ließ gerade die Spieluhr trällern. Auch die große Schwester wollte an dem Schnürchen ziehen, das Musik aus dem Kasten zauberte, und der kleine nackte Junge auf ihrem Arm krähte vor Vergnügen.

Von den Klimpertönen angelockt, kamen die drei Jungen endlich aus dem Badezimmer. Auch sie wollten Musik machen.

»Nein«, rief Herta Köberle energisch, »jetzt ist Schluß!« Sie nahm die Spieluhr von der Wand und legte sie auf das höchste Regal der Bar. Nur mit Mühe gelang es ihr, die Kinder davon abzuhalten, in den Garten zu stürmen, an das Bassin, an die Brüstung. In ihrer Not rief sie Carlitos und Maria an den Küchentisch. Die übrigen Geschwister folgten ihnen neugierig. Froh, daß sie die Kinder endlich wieder versammelt und im Auge hatte, tischte sie auf, was sie in der Eile finden konnte.

Was sie sich damit erhoffte, trat ein: Die Kinder stürzten sich auf das Essen. Sie aßen mit Heißhunger. Sie rissen Brocken aus Brot und Brötchen und schlangen sie trocken hinunter. Auch Carlitos und Maria aßen nochmals mit, als ob sie noch genauso hungrig wären wie die anderen.

Für eine Weile trat Stille ein – eine fast gespenstische Stille. Man hörte nur das Kauen, Schlucken und Schmatzen. Die kleinen Gesichter glänzten fettig, die Augen funkelten. Das alte Gesicht der großen Schwester entspannte sich. Sie war es, die am wenigsten aß. Sie fütterte den kleinen Jungen. Sie achtete darauf, daß er nicht zu kurz kam, und kümmerte sich auch um die jüngste Schwester. So abstoßend die Große mit ihrem Ausschlag im Gesicht wirkte, so rührend war doch ihre Fürsorge. Herta Köberle fühlte sich gedrängt, ihr die Wange zu streicheln. Aber die Scheu vor dem Ausschlag war stärker.

Als der Tisch fast leer war, schauten sich die Kinder mit begehrlichen Augen in der Küche um und ließen deutlich erkennen, daß sie noch nicht satt waren. Herta Köberle war ratlos. Schon riß Carlitos den Kühlschrank auf, diesen wunderbaren kühlen Zauberkasten, der voller Köstlichkeiten gewesen war. Er faßte hinein und zog eine Pyramide von Fischkonserven heraus, die so kalt waren, daß sie in der warmen Luft dampften.

Jetzt wurde Herta Köberle ärgerlich. Was erlaubte sich dieses Bürschchen? Er bat nicht mehr – er bediente sich selbst! Er hielt die Konserven den Geschwistern hin und forderte sie auf, sie zu berühren. Schmutzige kleine Finger tippten daran, verblüfft von der Kälte. Die Dreijährige führte sogar eine flache Dose zum Mund und biß hinein. Enttäuscht begann sie zu weinen, als ihr die Große die Konserve aus dem Mund riß.

Carlitos schwenkte eine Dose vor Herta Köberles Gesicht und zeigte auf den Deckel. Sie überlegte. Sollte sie es auf eine Kraftprobe ankommen lassen? Sollte sie die Konserven in den Kühlschrank zurückstellen? Aber die Kinder waren noch nicht satt. Bekamen sie nichts mehr zu essen, würden sie vielleicht in den Garten wollen und ihren Mann aus dem Sessel scheuchen. Nur das nicht!

In aller Eile kramte sie den Büchsenöffner aus einer Schublade des Küchenschranks und öffnete eine Büchse nach der anderen. Die Kinder rissen ihr Dose um Dose aus der Hand und wühlten Sardinen und Thunfisch mit den Fingern heraus. Öl tropfte auf die blanken Fliesen.

Sobald alle Dosen geöffnet und die Kinder beschäftigt waren, warf Herta Köberle ein paar Gemüsekonserven, eine Packung Würfelzucker, ein Paket Makkaroni in einen Tragebeutel – das erste Beste, was sie in der Speisekammer in die Hand bekam –, ließ Maria und Carlitos in den Beutel schauen und lief, als die Kinder danach griffen, vor ihnen zur Tür, die in den Vorgarten führte. Maria folgte ihr, und die Große mit den beiden Kleinen folgte Maria. Die Zwillinge warteten jedoch unschlüssig ab, gewohnt, das zu tun, was Carlitos tat. Er preßte die

Hände auf seinen Bauch und begann zu stöhnen. Dann übergab er sich auf die Küchenfliesen.

Herta Köberle vergaß Angst und Ärger und eilte bestürzt zu ihm.

Er ließ sich auf den nächsten Stuhl fallen. Sofort kam auch die Große angehinkt, setzte Maria das Zweijährige auf den Arm und beugte sich über ihn. Sie streichelte ihm die Backen, redete tröstend auf ihn ein, wischte seinen Mund mit ihrem Rock ab und rieb seinen Bauch. Dann führte sie ihn in den Vorgarten hinaus. Fast ließ er sich von ihr schleifen. Aber noch während sie sich um den Bruder bemühte, rief sie »Señora!« und zeigte auf Maria.

Herta Köberle verstand nicht, was sie meinte. Die Große ließ Carlitos für einen Augenblick los, hinkte zu Maria hin, griff nach dem hellblauen T-Shirt, das inzwischen mit Flecken übersät war, rieb den Stoff zwischen den Fingern und machte begehrliche Augen. Sie zeigte auch auf Marias Halskette. Was sie dazu heraussprudelte, konnte Herta Köberle nicht verstehen. Wohl aber verstand sie, daß das Mädchen auch so ein Kleid und eine solche Kette haben wollte.

Mit wachsender Angst eilte sie in Juttas Zimmer, riß den Kleiderschrank auf, griff nach dem T-Shirt, das zuoberst lag, lief zurück, warf es der Großen zu, hastete in ihr eigenes Zimmer, zog eine Kette aus ihrer Schmuckschatulle – ein silbernes Kettchen mit einem winzigen Kreuz daran, das sie als Kind von ihrer Patentante geschenkt bekommen, aber nie getragen hatte –, lief damit, so schnell sie konnte, in den Vorgarten und drückte es der Großen in die Hand. Die betrachtete es kritisch und stopfte sich das Hemd in den Halsausschnitt. Ihr schmutziger Kittel bauschte sich vor ihrer Brust. Dann hielt sie der Frau das Kettchen hin und zeigte sich auf den Hals.

Herta Köberle empfand Ekel und Haß. Dieses Kind war kein Kind mehr. Es zeigte kein bißchen Anhänglichkeit, sondern nur nackte Gier. Mit zitternden Händen legte sie ihm das Kettchen um den Hals, nahm den Zwillingen den Beutel ab, um den sie sich zankten, und lief zum Tor. Die Hunde tobten.

Maria folgte ihr. Sie keuchte unter dem Gewicht des Zweijährigen, der sich an ihren Hals klammerte. Für einen Augenblick war Herta Köberle versucht, ihr das Kind abzunehmen, zwang sich aber, dem Mitleid nicht nachzugeben. Sie riß das Tor auf, drehte sich zu den Kindern um, winkte und schwenkte den Beutel. Maria kam als erste auf sie zu. Ihr ganzes Gesicht strahlte in einem süßen, zutraulichen Lächeln, während sie unter der Last schwankte.

»Ach, Maria«, sagte sie bewegt, »wenn du doch nur allein wärst!«

Maria sah sie fragend an. Sie hatte nichts verstanden. Der kleine Bruder schmiegte seine Schniefnase, seine schmutzige Wange an ihr Gesicht. Bald würde sie auch so alt, so grindig aussehen wie ihre große Schwester. Schaudernd strich ihr Herta Köberle über den Kopf, über das herrliche saubere Haar. Dann winkte sie den anderen, die vor dem Zwinger stehengeblieben waren und die Hunde anstarrten.

Die Kinder hatten es nicht eilig, dieses Paradies zu verlassen. Herta Köberle mußte zurücklaufen und die Zwillingsbrüder an die Hand nehmen. Sie zerrte sie zum Tor und gab ihnen dort den Beutel. Dann lief sie zum Zwinger zurück, um auch die Dreijährige zu holen. Aber die klammerte sich an die große Schwester und begann zu schreien. Da blieb ihr nichts anderes übrig, als die Große wieder zu berühren. Sie schob das Mädchen, das Carlitos noch immer stützte, an den Schultern zum Tor.

Als sie mit den dreien endlich bei der Pforte ankam, stand dort nur noch Maria mit dem Zweijährigen. Neben ihr lag der Beutel umgekippt auf dem Boden. Das Makkaronipaket war halb herausgerutscht und aufgerissen. Die Zwillinge stocherten mit Zweigen durch das Gitter des Zwingers und brachten lachend die Hunde zur Raserei.

»Jetzt ist es aber genug!« rief Herta Köberle zornig, packte den einen der Burschen unter den Armen und trug den Strampelnden zum Tor. Der Junge brüllte schrill und versuchte, sich aus dem Griff zu befreien. Da stürzte die Große auf sie und entriß ihr mit einer Schimpftirade den kleinen Bruder. Auch Maria starrte sie nun finster an. Die Dreijährige plärrte am Rock der

Großen, die Hunde tobten. Es war ein Höllenlärm, der Herta Köberle peinlich war.

Da formte die Kleine ihre Hand zu einer Schale, hielt sie ihr hin und schnarrte eine Bettellitanei herunter.

Herta Köberle schüttelte zornig den Kopf. Und schon holte die Kleine tief Luft und begann von neuem zu plärren. Die Große aber griff in Marias Haar, hob eine Strähne, roch daran, ließ sie fallen und zeigte auf ihr eigenes Haar, das ihr wirr ins Gesicht fiel.

Nein, dachte Herta Köberle erschöpft, nein, das ist einfach zuviel!

Schon drückte sich die Große wieder an ihr vorbei, die Kleine hinter sich her zerrend. Mit einem Wortschwall zeigte sie auf das Haus und ihr Haar und winkte ihr, mitzukommen.

»Habt ihr denn gar kein Benehmen?« rief Herta Köberle in höchster Erregung. »Habt ihr kein bißchen Stolz? Ich habe euch so viel geschenkt, aber ihr wollt immer mehr. Ihr seid geradezu maßlos! Unersättlich seid ihr. Pfui!«

Aber niemand verstand sie, und die Große drehte sich wieder nach ihr um und zeigte, nun schon ungeduldig, auf ihre Strähnen. Herta Köberle rief und winkte, aber außer Maria, die den Beutel wieder aufgerichtet und zwischen ihre Füße geklemmt hatte, und Carlitos, der sich den Bauch hielt und sich noch einmal, mitten im Toreingang, erbrach, folgten die Geschwister der Großen vorbei an den bellenden Hunden.

Herta Köberle geriet in Panik: Ihr Mann durfte sich doch nicht aufregen. Da erinnerte sie sich an die Geldbörse in der Tasche ihres Rocks. Sie griff danach wie nach einem Anker, schwenkte sie über ihrem Kopf und rief: »Money, money!«

Das saß. Schon rief Maria ihren Geschwistern mit schriller Stimme etwas zu. Die Große, bereits auf den Stufen zur Eingangshalle, kehrte um. Auch die Zwillinge liefen zurück zum Tor.

Die Kinder sahen nur noch die Münzen, die die Frau in weitem Bogen über ihre Köpfe hinweg hinaus auf die Straße warf. Mit ihren bloßen Füßen traten sie in Carlitos' Erbrochenes, stürzten aus dem Tor, warfen sich platt auf die Erde, krochen auf allen vieren herum, kugelten übereinander. Die Zwillinge schlugen sich um eine Münze, nach der sie gleichzeitig gegriffen hatten. Carlitos zerrte Maria am Haar. Das Zweijährige saß mit seinem viel zu großen Kopf und seinem aufgedunsenen Bauch auf dem Boden und versuchte plärrend, auf die dünnen Beine zu kommen.

Das letzte, was Herta Köberle von den Kindern sah, bevor sie das Tor zuschlug, war Marias langes, seidiges Haar, das auf dem Asphalt entlangschleifte.

»Ich konnte sie nicht halten!« jammerte Jacinta. »Sie war stur wie ein Maultier. Ich sagte zu ihr: Und wer paßt mir so lange auf die Kleinen auf? Da sagte sie: Jetzt bin ich auch mal dran. Da sagte ich: Hast du vergessen, wie's ist, wenn einen die Polizei schnappt? Da schaute sie mich an mit einem solchen Blick und sagte: Ich bin sowieso nur noch ein Dreck, mir kann nichts mehr passieren, und dann rannte sie weg, bevor ich ihr eine kleben konnte.«

»Und dann?« keuchte der Mann. »Und dann?«

»Da fiel sie über den Carlitos her, der vor Albertas Tür laut geprahlt hatte mit dem, was er dort oben gekriegt und gesehen hat, und schimpfte ihn aus, daß er alle neidisch macht. Und die andern standen drumrum. Aber da bekam der Panchito wieder einen Anfall, und da bin ich mit ihm zur Alberta hinein, und als ich wieder rauskam, waren sie alle weg. Der Pablo von nebenan erzählte mir dann, die Maria hätt nur die Puppe zurückbringen wollen. Er wollte auch mitgehen, sagte er, aber die Maribel drohte ihm Dresche an. Da hat er sich nicht mehr getraut. Unsere Kinder hat sie alle mitgenommen, bis auf den Panchito hier –«

Der Mann richtete sich halb auf und schrie: »Alles Lüge! Du hast sie wieder hinaufgeschickt, damit sie noch mehr holen! Für ein paar Bissen Fraß!«

»Und wenn's so wär?« heulte sie. »Woher's auch kommt: Sie müssen zu essen kriegen. Schaff Geld heran, dann zieht sie's nicht mehr dort hinauf!«

Er griff nach dem Eimer.

»Nicht!« schrie sie. »Das ist Wasser!«

Fliegenschwärme schwirrten vom Hüttenboden auf, als sie zum Türloch flüchtete. Aber der volle Eimer war für ihn zu schwer. Er ließ sich auf die Pritsche zurückfallen und weinte. Sie starrte zu ihm ins Halbdunkel hinüber und sah zu, wie sich die Fliegen auf seinem Gesicht niederließen. Er scheuchte sie nicht weg. Sie kauerte sich mit dem Kind auf die Schwelle und schneuzte sich in ihren Rock.

»Ich wollt, ich wär tot«, murmelte sie.

Sie verriegelte das Tor sorgfältig und lief ins Haus. Auf der Terrasse ließ sie sich in einen Sessel fallen.

»Na?« fragte er spöttisch. »Hast du dich gut amüsiert?«

Sie stützte den Kopf in die Hände: »Furchtbar – einfach furchtbar.«

»Ich habe mich mit Absicht zurückgehalten«, sagte er. »Das wolltest du doch – oder?«

»Kurt«, seufzte sie, »diese Kinder haben keine Scham. Die große Schwester von Maria und Carlitos wurde geradezu unverschämt!«

»Ich habe dich ja gewarnt. Nun hast du deine Erfahrungen gemacht.«

»Ja, ich habe meine Erfahrungen gemacht. Aber andere, als du meinst. Du siehst in diesen Kindern kleine Wilde: lästig, aber nicht gefährlich. Meine Erfahrungen sind düsterer: Wenn du ihnen den kleinen Finger reichst, schnappen sie nach der ganzen Hand. Zu mehreren verlieren sie ihre Scheu. Dann betteln sie nicht mehr. Dann fordern sie!«

»Warum hast du mich nicht gerufen?« fragte er.

»Du hättest dich aufgeregt.«

Sie fuhr zusammen und lauschte.

»Hat es nicht geschellt?« flüsterte sie.

»Ja«, antwortete er.

Sie sahen einander an.

»Das sind sie«, flüsterte sie. »Sie wollen wieder herein. Sie wollen noch mehr haben. Mach ihnen ja nicht auf, Kurt! Wir bekommen sie nicht mehr los!«

Es schellte abermals. Der schrille Ton riß nicht ab. Die Hunde lärmten. Die Köberles saßen wie erstarrt und lauschten. Sie atmeten auf, als Stille eintrat, und hielten den Atem an, als das Geschrill – diesmal mit kurzen Intervallen – erneut einsetzte.

»Ich verstehe nicht, wo die Polizei bleibt!« rief Kurt Köberle. »Sie ist doch dafür da, unsereinen vor solchen Belästigungen zu schützen. Ich werde die nächste Polizeistation anrufen, damit sie jemanden herschicken.«

»Das wirst du nicht tun, solange Maria dabei ist!« rief sie und stellte sich vor ihn.

»Sei nicht albern«, sagte er. »Ernesto mit seinen Verbindungen bekäme die Kleine wieder heraus, wenn dir soviel an ihr liegt. Aber ich fürchte, sie ist nicht besser als die anderen.«

»Und wie willst du dich am Telefon verständlich machen«, fragte sie herausfordernd, »wo du doch kein Spanisch sprichst?«

»Ich kann es ja mit Englisch versuchen.«

Er stand auf, ging ins Wohnzimmer, kam mit dem Telefonbuch zurück. Es schellte immer noch. Nervös blätterte er die Seiten hin und her.

»Schau mal im Wörterbuch nach, was ›Polizei‹ heißt«, rief er.

Sie holte das Wörterbuch aus ihrem Zimmer und suchte.

»Policía. Aber reg dich bloß nicht auf, Lieber, du weißt ja –«

»Ja, ja«, antwortete er ungeduldig, »ich weiß. Aber diese Klingelei macht einen wahnsinnig!«

Er blätterte, notierte eine Nummer und ging zum Telefon. Sie ging mit und lauschte, als er sprach. Seine Stimme zitterte vor Erregung. Am anderen Ende der Leitung waren ein paar kurze, ungeduldige Fragen zu hören, dann wurde aufgelegt. Er horchte noch eine Weile in die Stille, dann warf er den Hörer auf die Gabel.

»Diese Kanaken verstehen kein Englisch!« schimpfte er.

»Beruhige dich«, sagte sie. »Wenn dir hier etwas zustieße –! Wie sollte ich einen Arzt rufen? Wenn wir das Tor nicht öffnen, merken sie schon, daß es sinnlos ist, auf die Klingel zu drücken. Wir müssen nur Geduld haben.«

Er hob den Kopf und lauschte.

»Sie schellen ja gar nicht mehr«, sagte er.

»Tatsächlich«, stellte sie verblüfft fest, »sie schellen nicht mehr. Gott sei Dank.«

Sie hakte sich bei ihm ein. Langsam, noch betäubt von der Aufregung, gingen sie auf die Terrasse.

»Nie wieder«, grollte er, »betritt mir eines dieser Geschöpfe das Haus!«

»Nein«, seufzte sie, »nie wieder.«

»Jetzt wird mir auch klar, warum alle die Villen hier oben wie Festungen ummauert sind und warum uns

Victor so dringend empfohlen hat, niemandem das Tor zu öffnen –«

»*Ich* mache das Tor nicht mehr auf, solange Ernesto und Jutta fort sind«, sagte sie. »Darauf kannst du dich verlassen.«

»Wir werden dem Zimmermädchen aufmachen müssen. Nur Victor hat einen Schlüssel zu Toreinfahrt und Garage. Die Dienstmädchen bekommen keinen Hausschlüssel, hat mir Ernesto gesagt. Wenn Cecilia morgen früher kommt als Victor, müssen wir sie hereinlassen.«

»Ich wollte, Ernesto und Jutta wären schon hier«, seufzte sie. »Ohne sie ist man so unsicher in diesen fremden Verhältnissen –«

»Mir würde Victor schon genügen. Er kennt sich mit seinen Landsleuten aus. Oder wenn es wenigstens diese Cecilia wäre. Sie wird wissen, wem sie öffnen darf und wem nicht. Jedenfalls steht für mich fest: In einem so unsicheren Land wie diesem hier möchte ich nicht für immer leben müssen.«

»Es ist lächerlich«, murmelte sie, »aber ich fürchte mich.«

»Nun fang bloß nicht wieder mit deinen Ahnungen an«, rief er halb ärgerlich, halb belustigt. »Es kann uns doch nichts passieren: Das Pack ist *vor* der Mauer. Du hast das Gartentor doch zugeriegelt? Na also.«

Ihr fiel das Erbrochene in der Küche ein.

»Ich ziehe mich um«, sagte sie schnell. »Ich komme mir schmutzig vor.«

»Beeil dich«, sagte er, »damit wir noch etwas von diesem Tag haben. Bis jetzt hat er uns nichts als Unruhe gebracht.«

Als sie die Küchentür öffnete, schlug ihr ein ekelhafter, säuerlicher Geruch entgegen. Sie wischte das Erbrochene mit einer zerknüllten Zeitung auf, warf sie in die Toilette und spülte nach. Sie räumte den Tisch ab und blickte schuldbewußt in den fast leeren Kühlschrank. Schließlich wischte sie Küche und Speisekammer feucht auf. Alle ihre Empörung richtete sich gegen die Große. Sie dachte an den grindigen Ausschlag und empfand wieder Ekel. Aus dem Badezimmer holte sie ein Fläschchen mit Desinfektionslösung, das sie sich vor der Reise besorgt hatte.

Sie goß heißes Wasser in eine Schüssel, spritzte ein paar Tropfen der Lösung hinein und begann Tische und Stühle damit zu säubern.

Kurt Köberle steckte den Kopf zur Tür herein: »Wo bleibst du denn so lange, Herta? Ich warte und warte.«

»Ich bringe nur die Küche in Ordnung.«

Er schnupperte.

»Es riecht wie im Krankenhaus«, sagte er. »Aber ich verstehe. Nach diesem Besuch –« Er seufzte. »Mußt du das unbedingt selbst machen? Wozu hat Jutta ihre Mädchen? Sie werden dafür bezahlt.«

Als sie nicht antwortete, sagte er: »Ja, ja, ich verstehe dich schon. Wenn Jutta kommt, soll alles blitzen, nicht wahr?«

Er verschwand, kam aber gleich wieder.

»Eigentlich könnte ich gleich die Hunde füttern«, meinte er. »Es ist ja bald Abend.«

Er öffnete den Kühlschrank und stutzte.

»Hier hat sich's aber gelichtet«, sagte er erstaunt.

Sie warf ihm einen unsicheren Blick zu.

»Ein Wunder, daß das Hundefleisch noch da ist«, knurrte er. »Das wurde wohl verschmäht, weil's gefroren war –«

Er nahm zwei große Fleischlappen aus dem Gefrierfach und legte sie auf den Blechteller, den ihm seine Frau hinhielt.

»Schönes Fleisch«, sagte er und wendete die Stücke hin und her. »Ernesto legt großen Wert auf gute Ernährung seiner Hunde. Nichts aus Dosen, und vom Guten das Beste.«

»Es wird noch eine Weile dauern, bis es aufgetaut ist«, sagte sie.

»Wir haben ja Zeit. Viel Zeit. Komm inzwischen mit zu den Hunden. Lern sie einmal richtig kennen. Sie werden dich bald mögen.«

Widerstrebend begleitete sie ihn zum Zwinger. Die beiden Schäferhunde sprangen am Gitter hoch, wedelten mit dem Schwanz und versuchten die Hände des Mannes zu lecken. Zwischendurch aber bellten sie die Frau mißtrauisch an. Ihr galt das Schwanzgewedel nicht.

»Sei vorsichtig«, mahnte sie.

»Keine Sorge«, sagte er. »Sie kennen mich schon. Der Gelbe da ist Tarzan. Ein Rüde, zwei Jahre alt. Natürlich mit Stammbaum. Die Schwarze ist Blacky, seine Mutter. Ernesto hat sie aus seinem Elternhaus übernommen. Sieben Jahre alt. Na, Blacky, meine Hübsche?«

Die Hündin versuchte, ihre Schnauze durch ein Loch des Maschendrahts zu schieben, und jaulte sehnsüchtig.

»Diese Tiere machen mir das Herz warm«, sagte er. »Schäferhund ist eben Schäferhund, hier wie dort, da weiß man, woran man ist. Sprich doch mit ihnen. Sie verstehen einen. Sie hören heraus, ob man's gut mit ihnen meint.«

»Ich habe Angst vor ihnen«, seufzte sie.

»Du müßtest dich eben mit ihnen vertraut machen!« rief er gereizt.

Sie ging schweigend in die Küche zurück, hielt die Fleischlappen eine Weile unter den Warmwasserhahn und brachte sie dann zu ihm hinaus. Als die Hunde das Fleisch sahen, gerieten sie außer Rand und Band.

Osorio schlief bis kurz vor Sonnenuntergang. Victor und Marc Antonio warteten in der Kneipe nebenan. Sie waren die einzigen Gäste. Die Kellnerin verbarg ihre miese Laune nicht: Sie hatte für den Festzug keinen Urlaub bekommen.

Victor wußte, daß es seine Sache war, Marc Antonios Biere zu bezahlen. Diese Vorstellung bedrückte ihn. Er überschlug die zu erwartenden Ausgaben. Der Preis für die Reparatur war gerade noch annehmbar gewesen. Von Don Ernestos Restsumme konnte er jedoch unmöglich noch etwas abzweigen. Und die fünf Tausender der Schwiegermutter? Er hätte sie gern so, wie sie waren, den Deutschen zurückgegeben. Das wäre ihm eine große Genugtuung gewesen. Aber er wußte schon jetzt, daß er das nicht schaffen würde. Den Stern konnte er, wenn überhaupt, nicht umsonst bekommen. Sein letztes eigenes Geld, ein paar lächerliche Münzen, hatte er längst Marcelina gegeben. Also blieb ihm nichts anderes übrig, als Marc Antonios Gläser Bier und seine eigene Cola vom Geld der Schwiegermutter zu bezahlen. Und den Stern dazu.

Das verdammte Geld. Marcelina hatte ihn angefleht um Geld. Die Jungen brauchten neue Schuluniformen. Sie wuchsen so schnell. Und das Schulgeld für den laufenden Monat war längst fällig. Er hatte Don Ernesto um einen Vorschuß gebeten, aber der hatte nichts davon hören wollen: Er pflegte pünktlich am Letzten jeden Monats zu bezahlen. Der Letzte dieses Monats aber war der nächste Montag.

Nur: Wann würde er, Victor, den nächsten Urlaub bekommen? Es würde ihm nichts anderes übrigbleiben, als heimlich – bei irgendeiner Stadtfahrt, während er auf die Herrschaften warten mußte – heimzufahren und Marcelina den Lohn zu geben. Das war allerdings riskant. Don Ernesto kontrollierte manchmal den Kilometerstand.

Endlich kam Osorios jüngster Sohn gelaufen, ein sommersprossiger Knirps von sechs Jahren.

»Jetzt ist er auf!« krähte er.

Hastig erhob sich Victor und rief die Kellnerin. Er stutzte, als sie ihm die Rechnung hinschob.

»Festzuschlag«, sagte sie mit herabgezogenen Mundwinkeln.

Osorio, ein massiger Mann mit gewaltigem Schnurrbart, saß über den Tisch gebeugt und aß, als sie den halbdunklen Raum betraten.

»Entschuldigt, Freunde«, sagte er mit vollem Mund. »Aber ich hab's eilig. Laßt euch nieder. Eßt ihr mit? He, Olga, deck für zwei Freunde! – Was verschafft mir die Ehre? Wen bringst du da mit, Marc Antonio?«

Victor und Marc Antonio setzten sich.

»Es ist ein Freund von mir, ein sehr guter Freund«, sagte Marc Antonio. »Victor Aguirre, ein Lehrer. Er erledigt für mich das Schriftliche, wenn's mal nicht mehr zu umgehen ist.«

Osorio ließ das Messer fallen und schüttelte Victor quer über den Tisch die Hand.

»Lehrer?« fragte er überrascht. »Dann sei mir besonders gegrüßt, Kollege. Bist du an der Staatlichen hier im Viertel?«

»Er ist zur Zeit nirgends Lehrer«, erklärte Marc Antonio.

»Ah«, rief Osorio, »ich verstehe. Er möchte bei mir arbeiten, nicht wahr? Darüber läßt sich reden – wenn er auf meine Bedingungen eingeht, versteht sich.«

Marc Antonio räusperte sich. »Die Dinge liegen etwas anders«, sagte er. »Mein Freund ist nicht arbeitslos. Er arbeitet als Gärtner und Chauffeur oben in Bellavista –«

»Bei wem?« fragte Osorio scharf.

»Bei Ernesto Rocas Lobos«, antwortete Victor und spürte gleichzeitig Angst aufsteigen.

»Aha«, sagte Osorio und hörte auf zu kauen. »Interessant. Ein schönes Anwesen, ein deutscher Wagen, eine Ehefrau aus Europa. Aber diese Hunde – *muß* das sein?«

Marc Antonio lachte pflichtschuldig.

»Ich brauche einen Mercedes-Stern«, sagte Victor.

»Und zwar so schnell wie möglich«, fügte Marc Antonio hinzu. »Spätestens bis morgen früh.«

Eine dicke freundliche Frau mit indianischen Augen trug ein Tablett herein. Sie setzte Victor und Marc Antonio eine Portion Rinderbraten mit Yuca und eine Schüssel Tomatensalat mit dicken Zwiebelscheiben vor.

»Lassen Sie sich's schmecken«, sagte sie und verschwand.

»Meine Alte ist Gold wert«, mampfte Osorio. »Neun Kinder hat sie mir geboren, und alle leben. Die ersten sechs hat sie immer so lange gestillt, bis das nächste kam. Nur bei den drei Jüngsten hat's nicht mehr ganz gereicht. Und kochen kann sie! Überzeugt euch selbst davon, Leute. Aber das Beste an ihr ist, daß sie mir meine Seitensprünge nicht übelnimmt. Wo findet man eine solche Großzügigkeit? Die meisten Ehefrauen nehmen einem doch jedes flüchtige Betthäschen krumm. Als ob das was mit der Ehe zu tun hätte. Bei uns ist das anders: Nach jedem Seitensprung hab ich sie noch lieber, meine Olga.«

Marc Antonio lachte. Victor blieb stumm.

»Gold wert, so eine Ehefrau«, sagte Marc Antonio. »Mir macht Olivia jedesmal eine Szene, daß die Nachbarn zusammenlaufen.«

Das Gespräch erstarb im Geklapper der Bestecke.

Frisch geduscht und umgezogen spazierten die Köberles über die Terrassenstufen zum Rasen hinab und blieben vor dem sorgfältig gepflegten Steingarten auf der Böschung stehen. Er und der Goldregenbaum waren von der Abendröte überhaucht. Die Sonne hing über dem Horizont. Sogar die Wellen im Bassin schimmerten rötlich.

Sie gingen weiter zur Brüstung hinüber. Wieder fielen ihre Schatten lang auf den Rasen, diesmal auf das Haus zu. Als sich die beiden umwandten, sahen sie die Villa glühen. Der Himmel verwandelte sich innerhalb weniger Minuten in ein Farbenmeer. Arm in Arm standen sie da. Stumm.

Kein Hund bellte. Kein Blatt rührte sich im Garten. Wohltuende Kühle breitete sich aus. Die Rosen dufteten stärker.

Sie lehnten sich über die Brüstung. Ein Stück weit von der Küste entfernt schimmerte eine Lichterkette. Ein großes Schiff lag dort vor Anker. Der kleine Ort in der Tiefe war schon im Schatten versunken. Auch er war fast verstummt. Nur die Musik aus einem Radio tönte klar herauf.

»Bach«, sagte sie.

»Unvorstellbar. Bach dort unten. Das heißt Perlen vor die Säue geworfen.«

»Kaum zu glauben, daß sich da unten überhaupt jemand ein Radio leisten kann«, meinte sie.

»Es wird wohl geklaut sein.«

»Was wir gestern und heute alles erlebt haben!« murmelte sie. »Es ist mir, als ob ich hier viel – viel heftiger lebe: Jeden Augenblick passiert etwas Unerwartetes, etwas Unverständliches, etwas Ungewohntes, und die Gefühle werden einem ganz durcheinandergewirbelt.«

»Ja, ja«, sagte er, »wenn einer eine Reise tut, so kann er was erzählen. Aber mich greift das alles nicht so an wie dich. Ich lasse mich nicht so leicht beeindrucken wie du.«

»So bist du«, nickte sie. »Deine Standpunkte und Prinzipien sind nicht zu erschüttern.«

»Soll das eine Kritik sein?« fragte er.

Sie antwortete nicht darauf. Erst eine Weile später sagte sie: »Wir werden Jutta und Ernesto viel zu erzählen haben. Sollen wir's ihnen überhaupt erzählen?«

»Laß *mich* das machen, Herta. Ich werde es als Anekdote auftischen. Sie sollen es nicht tragisch, sondern komisch sehen. Sie werden sich amüsieren, wenn sie sich vorstellen, wie dich das Bettelpack in Bedrängnis gebracht hat.« Er lachte.

»Ich kann noch nicht darüber lachen«, sagte sie. »Mir sitzt der Schreck noch in den Knochen.«

»Was ist denn schon passiert? Ein paar schmutzige Gören wurden aufdringlich. Das ist alles.«

»Nein«, sagte sie bestimmt, »da ist mehr passiert: Ich habe jetzt Angst vor der Gefahr.«

»Vor der Gefahr?« fragte er verblüfft. »Vor welcher Gefahr?«

»Kurt«, sagte sie eindringlich, »ist dir noch nie klar geworden, wie viele Arme und wie wenige Reiche es auf der Welt gibt? Mir ist das heute aufgegangen. Die Armen könnten die Reichen zerdrücken wie Flöhe – wenn sie nur wollten.«

»Zahlenmäßig mag das stimmen«, sagte er mit einer wegwerfenden Handbewegung. »Aber sie wissen ja nichts von ihrer Macht.«

»Sie ahnen schon was, Kurt. Sie lernen Tag für Tag. Auch sie machen ihre Erfahrungen. Ihre Macht nimmt zu, ihr Haß staut sich auf.«

»Du siehst das alles zu schwarz.«

»O nein«, murmelte sie. »Mir fallen seit gestern und heute nur ein paar Schleier von den Augen. Zu Hause kennen wir die Armut ja nur von früher oder aus anderen Ländern – übers Fernsehen, aus der Zeitung, durch die Touristik. Aber hier ist sie nah. Zum Anfassen. Hier lauert sie vor der Gartentür.«

»Armut gab's schon immer. Mit der Armut muß auch der leben, der *nicht* arm ist.«

»In meiner Kindheit«, sagte sie versonnen, »als wir noch in Königsberg lebten, nahm mich meine Mutter immer mit, wenn sie am Nachmittag des 24. Dezember zu unserer Putzfrau bescheren ging. Dazu gehörte ein Henkelkorb voll Eßwaren und eine Tasche voll abgelegter Kleider von mir. Nur Guterhaltenes, versteht sich – nichts Kaputtes. Und vielleicht ein Püppchen oder ein Quartettspiel. Es war eine Witwe mit drei kleinen Mädchen. Sie war jedesmal zu Tränen gerührt. Ich habe ihre Worte noch im Ohr: ›Gott möge es Ihnen lohnen, Frau

Amtsgerichtsrat, was Sie uns Gutes antun!‹ – Dann strahlte meine Mutter. Auf dem Heimweg erklärte sie mir jedesmal eindringlich, das Beschenken armer Leute sei nicht nur Christenpflicht, sondern es mache auch glücklich. Bis heute nachmittag habe ich bei dem Wort ›Armut‹ immer an die Putzfrau gedacht. Aber von nun an werde ich an diese Kinder denken müssen.«

»Schon gut, schon gut«, sagte er. »Du bist heute eben enttäuscht worden. Statt Dankbarkeit hast du Anmaßung erlebt.«

»Du verstehst mich nicht«, seufzte sie.

»Ja, ja«, antwortete er, »das sagst du immer, wenn du mir nicht recht geben willst. Jedenfalls bin ich aus härterem Holz geschnitzt. In meiner Kindheit hab ich schließlich auch zu den Armen gehört. Damals war mein Vater noch nicht Bahnhofsvorsteher, sondern einfacher Eisenbahner. Heiner und Karl ließ er studieren. Das hat Geld gekostet. Meine Mutter hat rundherum in den Dörfern bei Festlichkeiten kochen und servieren geholfen, um das bißchen Wirtschaftsgeld aufzubessern, und zweimal in der Woche sind wir nachmittags mit dem Handwagen in den Wald gefahren, um Reisig zu lesen. Wir haben den Bauern bei der Kartoffelernte geholfen, um billiger an Kartoffeln zu kommen. Nur sonntags gab's Fleisch, und Waltrauds Kleider und ihre eigenen nähte die Mutter selbst. Den ganzen Sommer über liefen wir Kleinen barfuß rum, die Waltraud und ich. Nur in der Schule trugen wir Schuhe. Ich mußte die ausgewachsenen Hemden und Hosen meiner Brüder tragen. War das etwa keine Armut?«

»Ihr seid immer satt geworden«, sagte sie fast schroff. »Und ihr habt Sicherheiten gehabt: Dein Vater hatte eine feste Stellung, eine fast unkündbare. Ihr wart auch nicht ohne Hoffnung –«

»Sicherheit?« unterbrach er sie hitzig. »Hoffnung? Die haben wir uns selbst geschaffen! Wir haben gearbeitet und immer wieder gearbeitet, schon von klein auf. Unser Fleiß, *das* war unser Kapital, unsere Sicherheit, unsere Hoffnung! Mein Vater hat sich mühsam bis zum Bahnhofsvorsteher hochgeschuftet, der Heiner bis zum Ingenieur, der Karl fast bis zum Tierarzt. Daß dann der Krieg kam und beide fielen, war nicht unsere Schuld. Und daß ich nach dem Krieg zu etwas kam – glaubst du, das ist mir in den Schoß gefallen, wo ich doch durch die Umstände nur die mittlere Reife in der Tasche hatte? Ich war sparsam, ich war fleißig. Ich war auch auf Draht. So einen Job bei den Amerikanern, schon sechsundvierzig, den erwischte nicht jeder! – Und danach diente ich mich in der Stadtverwaltung hinauf. Wir konnten uns eine schöne Wohnung in einem guten Viertel leisten und einen Wagen anschaffen, der sich sehen lassen kann. Thomas ist Jurist geworden. Jutta hat das Abitur gemacht –«

»Ja«, sagte sie unwillig, »das hast du mir schon oft erzählt. Ich weiß es und schätze es.«

»Sparsamkeit, Strebsamkeit, Fleiß«, fuhr er fort, »das sind die Schlüssel zum Wohlstand. Vor allem Fleiß. Ohne Fleiß kommt man zu nichts. Das sollten sich alle Armen der Welt hinter die Ohren schreiben. Diesen Leuten hier – ich meine, den Armen – geht der Sinn für Arbeit ab. Deshalb kommen sie aus dem Elend nicht heraus. Denk doch mal an unsere Situation nach fünfundvierzig: Wir Deutschen hockten hungrig und in Lumpen auf einem Trümmerhaufen. Und was haben wir innerhalb kurzer Zeit daraus gemacht? Ein Wirtschaftswunderland! Eine Wohlstandsgesellschaft ohne Arbeitslose und Habenichtse. Diese Leistung hat uns im Handumdrehen wieder Achtung verschafft. Daran kann sich jedes Land der Welt ein Beispiel nehmen. Ich sage dir eines, Herta: Arm kann jeder werden. Durch Krieg, Naturkatastrophen, Spekulationen und dergleichen. Aber arm zu *bleiben* braucht niemand. Wer arm bleibt, ist selbst schuld. Das ist *meine* Meinung!«

»Du siehst das alles nur von dir aus«, sagte sie unwillig. »Und du siehst alles so vereinfacht. Schließlich haben wir jetzt auch eine Menge Arbeitslose daheim. Ich kann mir nicht vorstellen, daß hier alle Armen nur deshalb arm sind, weil sie nicht arbeiten wollen –«

»Oder sie werden aus den Betrieben hinausgeworfen, weil sie unzuverlässig sind«, unterbrach er sie. »Zuverlässig sein ist auch eine Kunst. Kannst du dir diese Bettlertypen von gestern als zuverlässige Arbeiter vorstellen?«

»Du hast auf alle Fragen so schnell eine Antwort«, seufzte sie.

»Schau, was dort über die Mauer kriecht«, sagte er.

Sie fuhr zusammen, während sie seinem ausgestreckten Finger folgte. Da sah sie den halben Mond über der scharfgezackten Silhouette der Gartenmauer schimmern.

»Wie konntest du mich nur so erschrecken«, flüsterte sie.

»Du hast heute wirklich ein Hasenherz!« rief er und lachte dröhnend.

»Sei doch nicht so laut«, bat sie. »Der Abend ist so wunderbar still. Er beruhigt mich.«

Sie wandten sich wieder dem Meer zu, das nun von bläulichen und tiefvioletten Tönen überglänzt war. Die Sonne war untergegangen, die ersten Sterne begannen zu glitzern. Von der Stadt tönte ferne Musik herüber: rhythmisches Getrommel mit fremdartigem Gesang.

»Folklore«, stellte er fest. »Dort ist jetzt das Fest im Gange. Da kommt der Urwald in die Stadt.«

»Warum ist es da unten heute so still?« fragte sie und beugte sich über die Brüstung.

»Die Leute werden auf dem Fest sein.«

»Was wollen sie auf dem Fest, wenn sie kein Geld haben, um sich zu amüsieren?«

»Auf einem solchen Volksfest fällt doch immer was für die ab, die sich nichts leisten können«, meinte er. »Wenigstens für die Augen, für die Ohren und für das Gefühl. Außerdem läßt sich da gut betteln, weil an Fest- und Feiertagen jeder ein offenes Herz hat. Und man kann Uhren abreißen und Geldbeutel aus fremden Taschen ziehen.«

»Horch«, flüsterte sie. »Da schießt doch jemand.«

Er lauschte gespannt.

»Es muß im Stadtzentrum sein«, sagte sie. »Vielleicht ein Zusammenstoß mit der Polizei?«

Er versuchte, am Rand der hohen Mauer vorbeizuspähen, die Ernestos Garten vom Nachbargarten trennte. In dieser Richtung lag die Innenstadt. Wenn er sich ganz nach links lehnte, konnte er ein Stück in den fremden Garten hineinschauen, denn auch dort war über eine niedrige Brüstung der Blick zum Meer offen. Aber eine hohe Mauer trennte wiederum den Nachbargarten vom nächsten Garten und versperrte ihm die Sicht auf die Stadt.

»Es knallt ganz unregelmäßig, Kurt«, sagte sie. »Es *müssen* Unruhen sein!«

Plötzlich legte er den Arm um sie und lachte schallend.

»Feuerwerk!« rief er. »Siehst du das rote Licht dort drüben über der Mauer zerplatzen? Ja, ich weiß, du hast wieder keine Brille auf. Ein ganz normales Feuerwerk. Natürlich, das Fest. Dort im Zentrum gaffen sie jetzt alle mit offenem Mund hinauf, und wir beide hier oben zittern vor Gewalt und Rebellion!«

»Aber es hätte doch sein können«, murmelte sie. »Unruhen. Wäre dieser Gedanke denn so absurd?«

»Gott sei Dank kann sich ein Mob wie der da unten keine Waffen leisten«, sagte er zufrieden. »Ernesto hat gesagt, die Armen könnten höchstens mit Steinen werfen, wenn sie unverschämt werden.«

»Was meint er mit ›unverschämt‹?« fragte sie scharf.

»Nun«, erklärte er mit betontem Gleichmut, »ab und zu kommt eine Gruppe von ihnen auf die Idee, der Besitz der Reichen stehe auch ihnen zu. Das letztemal ist das vor neun Jahren passiert. Damals haben ihnen Agitatoren eingeschwätzt, es gebe zehnmal mehr Arme als Reiche in diesem Land, deshalb hätten die Armen ein Recht darauf, es zu regieren. Es gab also einen Aufstand des Mobs. Aber sie rannten sich nur die Köpfe ein, sagt Ernesto. Nach ein paar Tagen war alles vorüber. Ein paar hundert von ihnen hat's das Leben gekostet, und die Rädelsführer wurden eingelocht. Und unser Victor, dieser Dummkopf, hat sich zu diesem Blödsinn mitreißen lassen. Aber dem haben sie den Appetit auf die Macht gründlich verdorben. Der wird nie wieder in der Politik mitmischen wollen. Seit Generationen sind hier Militär und Polizei in der Hand der Reichen. Um an die Macht zu kommen, müßten die Armen erst einmal genügend Waffen haben. Aber Waffen kosten Geld, und das haben sie nicht. Es ist ein Teufelskreis. Ihr Pech – unser Glück.«

»Aber wenn sie von irgendwoher Waffen bekämen?«

»Das wäre natürlich fatal. Aber sie sind ja nicht organisiert. Sie haben weder Disziplin gelernt noch haben sie eine Ahnung von Strategie. Und wer verschenkt schon Waffen?«

»Laß uns hineingehen«, sagte sie. »Mich fröstelt.«

Es knallte nun vom Meer herüber. Über der Lichterkette des Schiffes stiegen Raketen auf und zerstoben in einem herrlichen Farbenspiel.

»Wie wunderbar!« rief sie.

Aneinandergelehnt schauten sie hinüber, bis die Funken der letzten Rakete verglommen waren. Dann kehrten sie schweigend zur Villa zurück.

Sie ordneten die Zeitschriften, die auf der Terrasse über Tisch und Sessel verstreut lagen, und gingen dann ins Haus. Kurt Köberle schloß die Terrassentür von innen. Herta Köberle machte sich in der Küche zu schaffen.

»Es genügt, wenn du uns nur ein paar Häppchen machst«, rief er ihr zu.

»Aber ich habe solche Lust, heute abend in aller Ruhe mit dir zu essen«, antwortete sie. »Improvisiert haben wir schon genug. Kannst du inzwischen den Tisch dekken? Die Damasttischdecke und die Servietten sind in der Schublade.«

»Wenn du festlich speisen willst, werde ich mich bemühen, die Tafel festlich zu decken«, sagte er, öffnete noch einmal die Terrassentür, pflückte ein paar Rosen aus der Rabatte und trug sie ins Eßzimmer. Er ordnete die Rosen in eine Vase und stellte sie auf den weißgedeckten Tisch. Er faltete die Servietten wie Schmetterlinge, nahm den dreiarmigen Messingleuchter vom Flügel, stellte ihn zwischen die beiden Gedecke und zündete die Kerzen an.

»Welche Tafelmusik möchtest du haben?« rief er in die Küche.

»Das weißt du doch«, rief sie zurück.

»Ob Jutta diese Platte hat?«

»Sie hat sie. Ich habe sie ihr mitgegeben.«

Er kniete sich ächzend vor den Plattenschrank. Er fand ihn bald, Mendelssohns ›Sommernachtstraum‹, und legte ihn auf. Aber noch stellte er den Plattenspieler nicht an. Die Musik sollte nicht in den Küchengeräuschen untergehen. Er ging in sein Zimmer und kehrte nach einer Weile in einem weißen Anzug mit scharfer Bügelfalte zurück. Sogar die seidene Krawatte hatte er sich umgebunden, die ihm seine Frau zum letzten Geburtstag geschenkt hatte. Er hatte sich frisch rasiert. Seine Schuhe glänzten. Grinsend stand er in der Küchentür.

»Nein, Kurt«, rief sie lachend, »wie kann ich neben dir bestehen? Eine alte Schachtel von siebenundfünfzig Jahren. Und ich rieche nach Zwiebeln!«

»Riech du nur nach Zwiebeln«, sagte er. »Ich rieche sie gern.«

Seine Heiterkeit steckte sie an. Sie überließ ihm die Herdplatten und den Backofen und verschwand ebenfalls in ihrem Zimmer. Als sie zurückkam, trug sie ein silbergraues Seidenkleid, dazu die neuen schwarzen Lackpumps, die Jutta ihr in der Stadt gekauft hatte, und die Korallenkette – ein Geschenk ihres Mannes zu Juttas Geburt.

Er half ihr beim Auftragen der Gerichte. Als sie sich zwischen Küche und Eßzimmer begegneten, lächelten sie einander zu. Später, während des Essens, schwiegen sie, weil ihnen nichts einfiel, worüber sie sich hätten unterhalten können, und überließen sich den unbeschwerten Klängen. Begegneten sich ihre Blicke, so schauten sie verlegen weg. Herta Köberle bemerkte gerührt, wie sich ihr Mann um vollendete Eßmanieren bemühte.

»Köstlich«, sagte er immer wieder, öfter als nötig, und dazwischen zweimal: »Riechst du die Rosen?«

Sie nickte und sagte: »Heute abend riechst du sogar Rosenduft.«

Er sah sie fragend an.

»Für gewöhnlich«, erklärte sie, »hast du eine taube Nase.«

Als sie mit dem Essen fast fertig waren, fragte sie: »Weißt du übrigens, was mir heute abend an dir besonders gefällt?«

Er sah sie erwartungsvoll an.

»Daß du kein einziges Mal den Wunsch geäußert hast, diese Festtafel und uns aufgeputzte alte Narren zu fotografieren.«

»Stimmt«, sagte er verblüfft. »Das hatte ich ganz vergessen. Nun, wo du es sagst, staune ich selbst darüber.«

Die Musik war verstummt. Er ließ sie noch einmal beginnen.

»Wollen wir tanzen?« fragte er.

»Nach dem ›Sommernachtstraum‹?« fragte sie verdutzt.

»Irgendwie«, meinte er, »wird sich das wohl auch tanzen lassen. Komm. Probieren wir's. Es sieht uns ja niemand zu.«

Er zog sie vom Stuhl. Sie sträubte sich nicht. Aber sie tanzten nicht lange, denn plötzlich blieb die Nadel hängen. Eine anmutige Passage wiederholte sich unablässig, bis er der Nadel weiterhalf.

»Laß uns zu Bett gehen, Kurt«, sagte sie. »Ich bin müde.«

Sie räumte ab, er löschte die Kerzen und trug den Leuchter an seinen Platz. Danach half er ihr in der Küche und brachte den Hunden Wasser.

»Es sieht so aus, als käme Victor heute abend nicht mehr«, sagte er, als er vom Zwinger zurückkehrte.

»Er wird auch auf dem Fest sein«, meinte sie. »Gönnen wir's ihm.«

Sie wünschten einander eine gute Nacht und gingen in ihre Zimmer. Sie stellten die Klimaanlage an. Sie rauschte und machte schläfrig.

Die Kinder schliefen schon, als Victor endlich heimkam, auch die beiden ältesten. Marcelina öffnete ihm.

»Hast du etwas erreicht?« fragte sie besorgt.

»O ja«, antwortete er grimmig. »Ich habe erreicht, daß ich von den fünf Tausendern der deutschen Schwiegermutter zwei Tausender loswerde, falls mir Osorio und seine Leute bis morgen früh sechs Uhr einen Mercedes-Stern besorgen.«

»Ist denn so ein Stern so viel wert?« rief Marcelina bestürzt.

»Natürlich nicht. Aber Osorio weiß, was *mir* der Stern wert ist. Er nutzt die Gelegenheit.«

»Hat Marc Antonio dir nicht geholfen?«

»Er sitzt auch in der Klemme. Er will sich's mit Osorio nicht verderben, denn er will in Zukunft für ihn arbeiten. Ich mußte auf Osorios Forderung eingehen.«

»Und wie willst du das Don Ernestos Schwiegermutter erklären?«

»Ich werde ihr sagen müssen, ich hätte die Uhr nur gegen zwei Tausender herausbekommen. Zwei Tausender und zwei Hunderter. So viel haben mich nämlich meine Cola und Marc Antonios Bier gekostet, als wir auf Osorio warten mußten. Ob sie's glaubt, ist eine andere Sache. Jedenfalls klingt's wahrscheinlicher als die Behauptung, ich hätte die Uhr umsonst herausbekommen.«

»Wenn das so ist«, sagte Marcelina, »dann denk an die Uniformen. Könntest du nicht sagen, du hättest für die Uhr dreitausend zahlen müssen? Die spüren es doch nicht. Die sind so reich –«

»Nein«, antwortete er hart, »dreitausend sind zuviel für die Uhr. Das sähe dann so aus, als hätte ich was für uns abgezweigt. In der nächsten Woche bekomme ich ja meinen Lohn.«

»Er wird nicht reichen«, klagte sie. »Für das Schulgeld schon, aber nicht für die Schuluniformen. Sie *können* die alten nicht mehr anziehen! Die Hosen sind zu kurz, die Jacken zu eng –«

»Ich kann nicht, Marcelina«, seufzte er. »Wenn ich den Job verliere, ist alles aus. Don Ernesto kennt alle Leute in der Stadt, die sich einen Gärtner oder einen Chauffeur leisten können. Er würde ihnen von mir abraten. Eine andere Arbeit zu finden ist schwer. Ich bin nicht mehr der Jüngste. Ich *muß* die Stellung bei Don Ernesto behalten. Sonst müssen auch wir aus den Mülltonnen leben.«

Marcelina schossen die Tränen in die Augen.

»Oder ich müßte für Osorio arbeiten«, fügte er hinzu. »Dann stünde ich mit einem Bein im Gefängnis.«

»Nur das nicht!« rief sie entsetzt. »Lieber will ich mit den Kindern zwischen Kisten und Wellblech hausen und unser Essen zusammenbetteln, als daß du nochmals dort hineingerätst.«

»Und die Jungen?« fragte er bitter. »Sollen sie sich ihre Bildung aus den Mülltonnen holen?«

Er warf sich auf das Bett und starrte zur Decke.

»Ach Victor«, rief Marcelina, »ich freue mich jedesmal so sehr auf dich. Aber wenn du kommst, wird fast immer alles zu Angst.«

»Hast du auch Angst?« fragte er und sah sie an.« Ich hätte sie dir gern erspart. Aber man kann sie nicht verbergen. Sie kriecht einem aus den Augen, sie springt einem bei jedem Wort von der Zunge. Wer Angst hat, riecht danach. Von einem Tag zum andern muß ich den Atem anhalten aus Angst, wie's weitergehen soll. Angst bei Tag und Angst bei Nacht. Bis in die Träume hinein plagt sie mich, die Angst um die Kinder. Wirklich, Marcelina, ich mache mir jetzt Vorwürfe, daß ich sie in die Welt gesetzt habe. Was wird, wenn ich sie vor dem Sturz ins Elend nicht bewahren kann? Die Schuld muß *ich* tragen!«

»Ich trag sie mit, Victor. Ich hab mich ja auch auf die Kinder gefreut. Nur das letzte, das hier drin, das hätten wir nicht machen dürfen. Jedesmal wenn ich daran denke, hab ich ein schlechtes Gewissen. Aber es kann ja nichts dafür, daß alles so gekommen ist. Wir müssen's auch lieb haben.«

Er zog sie neben sich auf den Bettrand.

»Wie schön wäre das Leben, wenn ich unterrichten dürfte«, seufzte er. »Ich wäre schon zufrieden, wenn ich in Ruhe Gärtner und Chauffeur sein dürfte. Nicht einmal *das* darf ich. Jeden Tag muß ich Angst haben um den Job. Ich muß kuschen wie ein Hund und die Schnauze halten und jede Demütigung runterschlucken. Ich habe Angst, daß ich eines Tages nicht mehr die Kraft habe, mich zu beherrschen. Marcelina, manchmal in meinen Träumen ertappe ich mich dabei, wie ich mir wünsche, keine Frau und keine Kinder zu haben. Dann würde ich ihm den Kopf ins Bassin tunken, bis er ersoffen wäre, und dann würde ich ihm das Haus anzünden und den Wagen im vierten Gang gegen die nächste Mauer fahren –!«

»Victor«, schluchzte sie, »o Victor –«

Sie streichelte seine Hand, seine Brust, sein Haar.

»Siehst du«, sagte er traurig, »zu einem solchen Ungeheuer macht er mich. So oder so – mir ekelt vor mir selbst.«

»Du bist kein Ungeheuer, Victor«, rief sie heftig. »Jeder Mensch ist ganz tief innen voll Schlamm und Sumpf. Jeder Mensch ist zu einer Menge fähig. Du bist nicht schlechter als andere Menschen auch, glaub mir's!«

»Freiheit, Gleichheit, Brüderlichkeit?« sagte er und schaute wieder zur Decke. »Unerreichbarer Luxus für uns. Menschenwürde? Zu fein für uns. Gerechtigkeit? Zu schade für uns. Fairneß? Die verdienen wir nicht. Barmherzigkeit? Was für Ansprüche! Nur ab und zu, selten genug, ein bißchen Menschlichkeit wie ein Tropfen auf einen heißen Stein –«

»Du wirst Hunger haben«, sagte sie schnell. »Soll ich dir ein paar Bananen braten? Die ißt du doch so gern.«

»Ich hab schon bei Osorio gegessen«, antwortete er. »Aber Durst habe ich.«

Sie brachte ihm einen Krug Wasser und ein Glas. Er trank gierig.

»Mehr«, sagte er. »Ich bin ganz ausgetrocknet. Ich fühle mich wie eine Wüste.«

Sie hielt ihm den vollen Krug an die Lippen. Er nahm ihn ihr aus den Händen und trank so gierig, daß ihm das Wasser aus den Mundwinkeln rann.

»Willst du nicht ein frisches Hemd anziehen?« fragte sie.

»Das Hemd wechseln ist wie die Haut wechseln.«

Er stand auf und zog sich das Hemd aus. Seine Rippenbögen wurden sichtbar. Marcelina streifte ihn mit einem traurigen Blick.

Auf dem Weg zum Duschraum kam er an der Kammer seiner beiden ältesten Söhne vorüber. Er blieb stehen und schaute hinein. Das Licht aus dem Wohnzimmer fiel durch die offene Tür auf die friedlich schlafenden Kindergesichter. Er beugte sich über den Jüngeren und küßte ihn auf die Stirn. Schlaftrunken öffnete der Junge die Augen, lächelte und flüsterte: »Papá –«, dann schlief er weiter.

»Sie hatten heute einen vollen Tag«, sagte Marcelina schuldbewußt. »Sie waren so müde. Sie wollten wachbleiben, bis du kamst, aber die Augen fielen ihnen zu. Sie haben es nicht einmal geschafft bis zum Feuerwerk, obwohl sie sich so drauf gefreut hatten.«

Dem Älteren, der im oberen Kojenbett schlief, strich Victor das schweißnasse Haar aus der Stirn. Dann verließ er die Kammer und ging ins Bad.

Es war ein kahler, ungekachelter Raum, von dessen Wänden der Mörtel blätterte. Das Wasserrohr mit dem verrosteten Brauseaufsatz krümmte sich hoch über ihm aus der Wand. Aus dem Gully roch es nach Fäulnis.

Victor duschte lange. Er duschte, bis er ganz ruhig geworden war. Mit bloßen Füßen stand er auf dem Zementboden und genoß die Kühle. Er sah Asseln in die Winkel huschen, verfolgte eine Ameisenstraße mit dem Blick bis hinauf zur feuchten Decke, entdeckte einen Skorpion in einem Mauerspalt. Die Uhr des Deutschen hing sicher an einem Haken an der Wand, dort, wo das Wasser aus der Brause nicht hintraf. Nackt bis auf die Uhr verließ Victor den muffigen Raum.

Als er an der Küche vorüberkam, hörte er Juanitos Stimme: »Papá, bist du da?«

»Ja«, antwortete er sanft. »Schlaf nur. Es ist alles in Ordnung, es ist alles gut.«

Marcelina kam Victor mit einem frischen Hemd entgegen. Er legte seine kühle Hand auf ihren Arm.

»Ich bleibe hier, bis mir Osorio Bescheid gibt«, sagte er. »Es hat keinen Zweck, jetzt loszufahren. Ich müßte morgen in aller Frühe wieder herunterkommen, um den Stern zu holen. Die Deutschen werden schon schlafen. Nachts gehen sie nicht aus, und nachts schellt auch niemand an der Tür.«

»Haben sie denn gar keine Angst, so allein in der großen Villa?« fragte Marcelina.

»Sie sind arglos. Sie sind wie Kinder. Sie können sich nicht vorstellen, was passieren könnte.«

»Sind sie ein bißchen – blöd?« Marcelina tippte sich an die Schläfe.

»Aber nein«, sagte Victor. »Ganz normal. Es fehlen ihnen eben die schlechten Erfahrungen – bis auf die Uhr und die Geldbörse.«

»Wie merkwürdig muß dieses Land sein, aus dem sie kommen –«

»Gleich morgen früh lasse ich den Stern von Marc Antonio anlöten«, sagte er, »dann fahre ich hinauf. Die beiden stehen spät auf. Ich werde auf alle Fälle früher dort sein. Vielleicht kann ich ihnen sogar weismachen, daß ich schon in der Nacht heimgekommen bin.«

»Ach, Victor«, sagte Marcelina, »eine ganze Nacht! Ich hab ja sonst immer nur die Kinder. Laß uns miteinander sprechen, hörst du?«

»Ja«, sagte Victor und warf sich auf sein Bett, »erzähl mir von den Kindern. Ich kenne sie ja kaum.«

Einer der Zwillinge quäkte im Schlaf. Besorgt beugte sich Marcelina über das Gitterbett neben ihrem eigenen Bett.

»Rosita hat sich heute abend erbrochen«, sagte sie unruhig.

Sie legte sich neben ihn. Er schob seinen Arm unter ihren Nacken.

Plötzlich fuhr sie hoch.

»Und was, wenn Osorio heute nacht in der Villa einbricht?« fragte sie.

»Das war auch *mein* erster Gedanke«, sagte er. »Aber er weiß nicht, daß Don Ernesto mit seiner Frau verreist ist und die Mädchen Urlaub haben. Nur Marc Antonio weiß es. Er hält dicht. Und dann sind ja auch noch die Hunde da. Vor denen hat Osorio Angst. Weißt du, was er von mir wollte? Daß ich die Hunde vergifte, ihm zu Gefallen. Er hat mir dafür sogar eine Prämie in Aussicht gestellt, samt einem Anteil von der Beute. Aber er hat wohl selbst nicht daran geglaubt, daß ich den Ast absäge, auf dem ich sitze. Er brachte sein Angebot wie einen Witz vor. Als ich nicht wollte, sagte er: ›Warten wir also damit, bis er dich rausgeworfen hat.‹«

»Er duzt dich?« rief Marcelina entrüstet.

»Er war früher auch Lehrer«, erklärte er. »Sogar am

José-Ramirez-Lyzeum. Er muß glänzende Zeugnisse gehabt haben, sonst hätte man ihn dort nicht genommen.«

»Ist das nicht die teuerste Privatschule in der ganzen Stadt?« fragte sie verwundert.

»Eben«, sagte er. »Dort sind die Kinder der Reichsten unter sich. Marc Antonio hat mir erzählt, daß sie den Osorio dort rausgeworfen haben, weil er vor den Eltern seiner Schüler nicht gebuckelt hat. Jetzt rächt er sich an ihnen auf seine Art. Nicht schlecht. Das kühlt. Ich hab's über die Politik versucht. Das war offenbar der falsche Weg. Sie haben's mich bitter büßen lassen – und euch dazu.«

»Es gefällt mir nicht, daß Osorio dich duzt«, sagte Marcelina. »Auch wenn er mal Lehrer war. Du bist kein Krimineller, Victor.«

»Noch nicht«, seufzte Victor. »Marc Antonio sagt, es sei erstaunlich, wie viele Gärtner, Diener, Hausmeister und Chauffeure schon gemeinsame Sache mit Osorio gemacht hätten. Viele von ihnen hätten später für ihn gearbeitet.«

Marcelina legte sich wieder hin. Sie schmiegte sich an ihn. Sie fühlte sein nasses Haar an ihrer Stirn und seine Hand auf ihrem Leib.

»Bewegt es sich schon?« fragte er.

»Ja«, antwortete sie. »Es ist ein Lebhaftes. Ich wollte, es würde ein Mädchen. Da brauchten wir's nicht aufs Lyzeum zu schicken.«

»Vielleicht sollte ich's wie Osorio machen«, sagte er.

»Nein«, entgegnete sie und legte ihre Hand auf seine Brust, »dafür bist du nicht geschaffen. Du hast kein eisernes Herz.«

»Es wird nicht mehr lange dauern, bis es hart geworden ist«, seufzte er. »Noch vor einem Jahr hätte ich's nicht fertiggebracht, dem Jungen auf dem Markt die Uhr wegzunehmen, ohne etwas dafür zu bezahlen.«

»Mich wundert's«, sagte Marcelina nach einer Weile, »daß die Reichen noch ruhig schlafen können, bei so viel Zähneknirschen rings um sie.«

Da begann Rosita laut zu weinen. Sie zog sich am Gitter hoch und brüllte. Dann erbrach sie sich über das Bettgeländer. Marcelina sprang auf und trug sie durch das dunkle Wohnzimmer in die Küche.

»Was ist denn, Mamá?« fragte Juanito, der auf der Bank in der Küche schlief.

»Rosita ist krank«, flüsterte Marcelina. »Sei leise. Papá ist müde.«

Juanito rutschte von der Bank, streichelte Rositas kleine Hand und huschte dann aus der Küche. Marcelina bemerkte es nicht. Sie hatte alle Hände voll zu tun, die Kleine zu säubern und zu beruhigen. Dann trug sie sie zurück ins Schlafzimmer und legte sie neben den Zwillingsbruder ins Gitterbett. Sie hielt ihre Hand, bis sie eingeschlafen war. Als sie sich todmüde in ihr eigenes Bett sinken lassen wollte, sah sie, daß es schon besetzt war: Juanito hatte sich eng an den Vater geschmiegt.

»Victor«, flüsterte sie.

Er antwortete nicht. Sie lauschte seinen Atemzügen. Er schlief. Auch Juanito neben ihm schlief.

Auf Zehenspitzen schlich sie in die Küche und legte sich auf die Bank, auf Juanitos zusammengelegte Decke. Ein hartes Lager. Sie lag auf dem Rücken und fand keinen Schlaf. Sie konnte die ferne Musik aus der Stadt hören. Sie hörte Betrunkene vorbeistolpern und grölen. Flugzeuggebrumm näherte sich und entfernte sich wieder. Rosita weinte leise. In der Küche raschelte etwas. Schaben. Aber sie hatte kein Geld, ihre Nester auszusprühen. Schon als sie hier eingezogen waren, hatte das Haus von Schaben gewimmelt. Deshalb hatte es weniger Miete gekostet. Damals war sie sicher gewesen, daß sie das Haus in kurzer Zeit schabenfrei haben würde. Aber inzwischen hatte sie eingesehen, daß die Schaben stärker waren als sie, und hatte den Kampf gegen sie aufgegeben.

Sie hörte Victor seufzen und sprechen. Sie lief zu ihm und beugte sich über ihn. Sie merkte, daß er im Schlaf sprach.

»Machen Sie nicht auf«, murmelte er mit öliger Stimme, die ihr fremd war. »Lassen Sie niemanden herein und bleiben Sie im Haus, Sir, bitte. Ja, ich komme gleich – aber selbstverständlich, Sir. Ja, Sir. Nein, Sir.«

Dann verstummte er, und seine Atemzüge wurden ruhig. Marcelina kehrte in die Küche zurück und legte sich auf die Bank. Tränen rannen ihr über die Schläfen ins Haar.

Noch vor Mitternacht fuhr Herta Köberle mit einem Schrei auf, der so laut war, daß er sogar ihren Mann nebenan weckte. Mit Mühe versuchte sie, sich von dem Traum zu lösen.

Sie war zu Hause in Koblenz gewesen, auf dem Balkon ihrer Wohnung. Sie hatte ganz deutlich die Geranien im Blumenkasten vor sich gesehen. Sie hatte gerade die kleine gelbe Gießkanne hochgehoben, um die Geranien zu gießen. Da hatte sie dieses unheimliche Summen gehört, das immer näherkam und zu einem Brausen anschwoll. Sie hatte sich über das Balkongeländer gebeugt und hinuntergeschaut auf die Stadt.

Wie die Flutwelle nach dem Bruch einer Staumauer strömte es durch alle Gassen, Straßen, Alleen heran: Tausende, Millionen von schwarzen Köpfen, braunen Gesichtern, mageren Gliedern, Hungerbäuchen. Das jammerte, das winselte, das schrie. Ein Wald von geöffneten Händen, erhobenen Fäusten – und die Augen, diese aufgerissenen Augen! Die Stadt hatte sich verdunkelt. Es wimmelte auf den Brücken, an den Ufern, in den Parkanlagen, rund um die Kirchen. Und nun stürmte es auch schon den Hang herauf und brandete gegen die Zierhecke, die den gepflegten Rasen rund um das dreistöckige Haus einfriedete.

»Señora!« hörte sie rufen. Es war Marias Stimme. Aber die Stimme verschwamm, sie wurde zur Stimme der großen, der grindigen Schwester, schließlich zu der einer Frau. Vielstimmig wiederholte sich der Ruf: »Señora!« nicht mehr bittend, sondern fordernd, befehlend, wurde zu einem haßerfüllten Schrei: »Señora!«

Jetzt waren sie schon im Haus, kamen die Treppe herauf, erreichten die Wohnung der Rößners, dann die der Schulze-Dillbachs – und jetzt, jetzt stemmten sie sich gegen die Tür –

»Ist was, Herta?« hörte sie ihren Mann fragen.

Sie setzte sich auf. Sie schwitzte. Sie schüttelte sich. Aber der Traum war klebrig. Sie konnte sich nicht von ihm befreien.

»Herta?« rief der Mann lauter. Seine Stimme klang besorgt.

»Ich habe so scheußlich geträumt«, rief sie hinüber.

»Es wird vom Magen gekommen sein«, beruhigte er sie. »Wir haben gestern abend zu gut gegessen. Schlaf nur weiter.«

»Nein, es ist nicht der Magen«, antwortete sie. »Es muß der Schreck von gestern sein.«

»Denk an was anderes. Denk an Jutta.«

Sie versuchte, an Jutta zu denken. Aber ihre Gedanken kehrten immer wieder zum vergangenen Tag zurück und ließen sich nicht wegscheuchen. Es waren düstere, hellwache Gedanken.

Sie lauschte dem Gebell der Hunde, das in unregelmäßigen Abständen anhob und verstummte. Sie hörte es trotz des gleichmäßig surrenden Geräuschs der Klimaanlage. Es waren nicht nur die beiden Schäferhunde im Zwinger. Auch die Nachbarhunde waren unruhig.

»Kurt«, rief sie leise hinüber, »hörst du die Hunde?«

Er antwortete nicht. Er schlief schon wieder.

Fröstelnd stand sie auf, zog ihren Morgenrock über das Nachthemd an und schlich durch das Haus, um zu prüfen, ob alle Türen verschlossen waren: die Haupttür in der Eingangshalle, die Küchentür, die Terrassentür und die Tür, die am Ende des Korridors in den Garten führte.

Sie waren es. Beruhigt löschte sie alle Lampen, warf im Vorübergehen einen Blick durch die Terrassentür auf das Mondlicht, das milchig über dem Garten lag, und kehrte in den Gästeflügel zurück. Den Schlüssel, der auf der Innenseite ihrer Tür steckte, drehte sie zweimal herum.

Als sie wieder im Bett lag, empfand sie plötzlich eine überstarke Sehnsucht nach dem Haus ihrer Kindheit in Königsberg, nach den Gesichtern und Stimmen ihres Vaters und ihrer Mutter. Sie hielt es nicht länger so allein in diesem fremden Zimmer aus. Auf Zehenspitzen schlich sie hinüber zu ihrem Mann. Sie ließ das Licht im Flur brennen, ließ die Zimmertür einen Spalt offenstehen und tastete sich zu seinem Bett. Erleichtert warf sie den Morgenrock ab und schlüpfte unter seine Decke.

»Nanu«, murmelte er schlaftrunken.

»Es ist, weil die Hunde dauernd anschlagen«, flüsterte sie.

»In anderen Nächten hast du nicht darauf geachtet«, antwortete er.

»Wenn du meinst –«, murmelte sie.

Aneinandergeschmiegt schliefen sie ein und träumten Belangloses, bis der nahende Morgen ihre Träume so flach und bewegungslos werden ließ wie stehende Tümpel.

Die Hütte zitterte im Wind. Ein Stück der Pappwand wirbelte davon.

»Sie dürfen niemandem verraten, welche Villa es ist«, ächzte Pancho, der nackt neben ihr lag.

»Leicht gesagt«, seufzte Jacinta. »Es sind Kinder. Sie prahlen gern. Sie zeigen herum, was sie gekriegt haben, besonders der Carlitos. Und wenn sie auch schwiegen wie ein Grab, die anderen würden ihnen doch nachrennen. Der Pablo von den Romeros und die beiden Saavedras wollten schon gestern mit.«

Sie setzte sich auf. Wenn Pancho auf dem Bett lag, hatte sie nicht mehr genug Platz im Bett. Dann mußte sie auf der Kante liegen und bekam Schmerzen.

»Ich muß aufstehen«, sagte sie. »Heute nacht war viel Betrieb im ›Paraiso‹. Ich hab's bis hierher grölen hören. Die Alte wird tückisch, wenn ich nicht früh genug das Kaffeewasser aufstelle und den Salon kehre. Weil mich die Kerle nicht sehen sollen. Das schädigt das Geschäft, sagt sie.«

»Ich muß auf die Müllhalde«, stöhnte er und richtete sich auf.

»Das sagst du jeden Morgen«, murrte sie. »Blödsinn. Du kommst doch nicht mal bis zur Tür, ohne zu scheißen. Heut haben wir ja was zu essen, von oben. Schlaf.«

Er ließ sich wieder fallen. Jacinta tastete nach dem Säugling, hob ihn aus dem alten Plastikkorb neben dem Bett, stieg mit ihm über die Kinder hinweg, die kreuz und quer auf dem Boden lagen und schliefen, und setzte sich draußen auf die Obstkiste unter der Wäscheleine, um ihn zu stillen. Tief atmete sie die frische Seebrise ein. Das Meer war unruhig an diesem Morgen. Es donnerte gegen den Strand und trieb seine Wellen bis unter die Hütten. Tang und Schaum blieben an den Pfählen hängen. Das Echo der Brandung hallte in der Felswand wider. Noch dämmerte es kaum.

Um vier vor halb sechs hörte Marcelina, die noch immer schlaflos lag, es an die Haustür klopfen. Seufzend erhob sie sich, warf sich ein Tuch um, durchquerte barfuß das morgendämmrige Wohnzimmer und fragte vor der geschlossenen Tür: »Wer ist da?«

»Esteban«, sagte eine Männerstimme. »Ich muß Victor sprechen.«

»Kommen Sie von Osorio?« fragte Marcelina.

»Ja«, antwortete die Stimme. »Ich bringe den Stern.«

Marcelina öffnete.

»Treten Sie ein«, sagte sie. Dann lief sie ins Schlafzimmer, beugte sich über Victor und sagte: »Der Stern ist da. Du mußt aufstehen.«

Victor schnarchte. Er hörte nichts. Sie hatte Mühe, ihn zu wecken. Juanito aber war sofort wach, er bedeckte das Gesicht seines Vaters mit Küssen und flüsterte: »Lieber Papá, lieber Papito, allerliebster Riesenvater, bitte –!«

»Ach, laßt mich doch schlafen«, stöhnte Victor und drehte sich um.

»Der Stern, Victor, der Stern!« rief Marcelina dicht über seinem Gesicht. »Du mußt jetzt fort!«

Fluchend wälzte sich Victor aus dem Bett. Während er mit den Füßen nach seinen Schuhen tastete, knurrte er: »Ein Tag wie ein Berg. Ich wollte, ich hätte ihn schon bestiegen.«

Er zog Unterhose und Hose an, schloß den Gürtel und ging ins Wohnzimmer. Juanito lief hinter ihm her wie ein Hund und kauerte sich neben ihn, als er den Stern in Empfang nahm. Victor händigte Osorios Boten zwei Tausenderscheine aus und schloß hinter ihm die Tür. In aller Eile streifte er sich ein frisches Hemd über, zog sich Socken und Schuhe an und schaute in die Kammer der beiden Großen, die inzwischen auch wach geworden waren.

»Bis bald«, sagte er. »Macht's gut in der Schule.«

»Ich brauch einen Zirkel«, sagte der Ältere. »Ich muß ihn bis zum Mittwoch haben, sonst bekomme ich Schwierigkeiten.«

»Und ich muß unbedingt einen neuen Füller kaufen, Papá«, rief der Jüngere. »Der Camilo hat ihn mir zerbrochen. Ich sagte ihm, er soll ihn mir bezahlen, aber er sagte, blas dich nicht so auf, wer bist denn du?«

»Wer ist der Camilo?« fragte Victor.

»Er sitzt vor mir. Er kann sich alles erlauben. Seinem Vater gehört das große Kaufhaus an der Plaza de la Concordia. Und sein Onkel ist Polizeihauptmann.«

»Wenn es so einer ist«, sagte der Vater, »kannst du nur mit besseren Leistungen gegen ihn ankommen. Mach ihn von dir abhängig. Mach, daß er dich braucht, um von dir abzuschreiben.«

»Gut«, sagte der Junge, »aber trotzdem brauche ich einen Füller. Wie soll ich sonst schreiben?«

»Papá hat viel Geld«, rief Juanito. »Er hat die Hosentasche voll Geld. Ich hab selbst gesehen, wie er zwei Scheine herausgezogen hat.«

»Sei still«, herrschte ihn der Vater an. »Was weißt denn du?«

Juanito brach vor Schrecken in Tränen aus.

»Eure Mutter wird euch das Geld für Zirkel und Füller geben«, sagte Victor zu den beiden Ältesten, »sobald ich ihr meinen Lohn gebracht habe.«

»Wann ist das, Papá?« fragte der Jüngere.

»Ich weiß es nicht, Jorge.«

»Dann muß ich fehlen«, sagte der Junge. »Ich kann nicht noch mehr Ausreden erfinden.«

»Mir ist auch schon Strafe angedroht worden!« rief der Ältere.

»Wo soll ich's denn hernehmen?« schrie Victor zornig.

»Warum hast du uns dann ins Lyzeum geschickt, wenn du nicht bezahlen kannst, was wir dort brauchen?« antwortete Jorge ebenso zornig.

Marcelina erschien mit Rosita auf dem Arm in der Kammer. Rosita plärrte jämmerlich.

»Werdet ihr wohl still sein, ihr unverschämten Burschen!« herrschte Marcelina die beiden Jungen an.

»Wollt ihr ihm noch Vorwürfe machen, wo er sich Tag für Tag für euch abschuftet und sich von so einem reichen Kerl demütigen läßt? Ihr verdient's gar nicht, daß ihr einen solchen Vater habt!«

Erschrocken starrten die beiden Jungen sie an.

»Entschuldige, Papá«, sagte der Ältere.

Victor griff in die Hosentasche und zog vier Hunderter heraus.

»Hier«, sagte er zu Marcelina. »Die Uhr muß eben zweitausendsechshundert gekostet haben. Nur darf mir Marc Antonio jetzt nicht noch was fürs Anlöten abnehmen.«

Er drückte ihr und Rosita einen Kuß auf die Wange.

»Denk an mich, Marcelina«, sagte er, nahm den Mercedes-Stern vom Wohnzimmertisch und hastete aus dem Haus.

»Auf Wiedersehn, Papá«, riefen ihm die großen Jungen nach. Juanito aber rannte hinter ihm her.

»Du hast ja noch gar nicht gefrühstückt, Victor!« schrie Marcelina.

Er drehte sich flüchtig um und schrie zurück: »Keine Zeit!«

Da stand sie im Türrahmen mit Ringen unter den Augen und eingefallenen Wangen. Vor sechzehn Jahren war sie ein hübsches Mädchen gewesen. Nicht einmal die beiden oberen Schneidezähne, die sie nach der Geburt der Zwillinge verloren hatte, konnte er ihr machen lassen! Er trat gegen eine leere Bierflasche, die in der Gosse lag. Erschrocken wich Juanito zur Seite.

Es war immer noch dämmrig, als Victor an Marc Antonios Tür klopfte. Am Fenster bewegte sich der Vorhang. Marc Antonios Frau beugte sich heraus. Ihr Gesicht war verquollen unter wirrem Gelock.

»Tut mir leid, Victor«, sagte sie, »Marc Antonio ist nicht da. Um Mitternacht haben ihn ein paar Arbeitskameraden aus dem Camp abgeholt. Er hat mir zwar hoch und heilig versprochen, er käme in zwei Stunden zurück, aber das vergißt er unterwegs. So ist er eben.«

»Und wo ist er jetzt?« fragte Victor bestürzt.

»Wahrscheinlich pennt er bei Teófilo«, sagte sie. »Das ist ein Ungar. Bei dem hat er schon öfters seinen Rausch ausgeschlafen. Wenn er dort nicht ist, könnte er bei Gregorio Maldonado sein. Das ist der zweite Mechaniker im Camp. Marc Antonio übernachtet nicht bei jedem, aber diesen beiden traut er.«

»Und wo wohnen sie?« fragte Victor hastig.

Sie nannte ihm die Adressen. Die eine war in der Nähe, die andere im Hafenvorort.

»Mach mir das Tor auf – schnell!« sagte er. »Ich muß den Wagen rausholen.«

»Darf ich mit, Papá?« bat Juanito.

»Laß mich«, knurrte Victor. »Halt mich nicht auf.«

»Dann wart ich hier auf dich«, sagte Juanito, schlüpfte durch das Tor, das sich knarrend öffnete, und kauerte sich in den Autoreifen, in dem er schon am vergangenen Tag gehockt hatte. Das Auto hüllte ihn in eine Staubwolke, als es aus dem Hof hinausschoß.

Nichts rührte sich in Teófilos Wohnung, auch dann nicht, als Victor mit den Fäusten an die Tür hämmerte. Da rannte er zum Wagen zurück und brauste zum Hafenvorort.

Der Vorort war älter als die Stadt selbst. Die Straßen waren eng und in schlechtem Zustand. Man konnte nicht durchpreschen. Man mußte bei jeder Kreuzung stoppen. Ein Betrunkener lag mitten auf der Fahrbahn. Victor mußte eine Weile suchen, bis er Gregorios Adresse fand. Aber dort traf er nur die Frau an. In dem dunklen, muffigen Flur konnte er ihre Gesichtszüge kaum erkennen. Er sah nur, daß sie sehr dick war und einen violetten Kittel trug. Sie starrte ihn finster an und knurrte: »Marc Antonio? Der ist im Puff. Zusammen mit meinem Mann. Er soll sich nur heimtrauen, der Schweinehund. Die Fresse werd ich ihm einschlagen!«

»In welchem Puff?« fragte Victor hastig.

»Erst am letzten Samstag war er dort, und ich hab ihm gedroht, wenn er nochmals –«

»In welchem Puff?« rief Victor ungeduldig.

»Und jetzt hat's ihn schon wieder hingetrieben! Dabei biete ich ihm alles, wirklich alles, was er auch im Puff bekommt. Wenn er wenigstens in ein Haus ginge, das sich sehen lassen kann! ›Moulin Rouge‹ oder ›Butantan‹ oder ›La Sirena‹. Er könnte sich's doch leisten. Aber nein, die dreckigste Spelunke sucht er sich aus, die keiner kennt: ›El Paraiso‹, ganz draußen am Strand, unter Bellavista, bei diesen syphilitischen Schlampen.«

»Ist Marc Antonio wirklich dort?« fragte Victor, schon im Treppenhaus.

Sie beugte sich über das Geländer und kreischte ihm

nach: »Ich hörte sie ja miteinander drüber reden, bevor sie fort sind! So um drei sind sie mit ziemlicher Schlagseite heimgekommen. Um halb vier sind sie wieder weg mit dem Taxi. Dorthin. Heut abend kommt der Bus vom Camp und holt ihn ab, und ich hab das ganze Wochenende noch nichts von ihm gehabt!«

An diesem Morgen erwachte Kurt Köberle früher als seine Frau. Das war nicht seine Art. Er war ein Langschläfer. Ihn hatte das Ungewohnte geweckt: Seit Jahren hatte er sein Bett mit niemandem mehr geteilt. Aber er fühlte sich munter und ausgeschlafen. Nach alter Gewohnheit warf er einen Blick auf sein Handgelenk. Die Uhr war nicht da. Unangenehme Erinnerungen wurden wach.

Er erhob sich, bemüht, seine Frau nicht zu wecken, die ihm den Rücken zudrehte. Aber sie hatte einen leichten Schlaf. Sie blinzelte ihn an.

»Ich will nur auf die Uhr schauen«, sagte er.

»Es ist doch egal, wie spät es ist«, murmelte sie. »Oder willst du etwa schon aufstehen?«

»Ich bin ausgeschlafen.«

Er ging ins Wohnzimmer.

»Zehn vor sieben«, sagte er, als er wiederkam, und setzte sich auf die Bettkante. »Heute wird sich alles wieder normalisieren. Heute kommt das Personal zurück.«

»Und morgen Jutta und Ernesto«, fügte sie mit geschlossenen Augen hinzu. »Horch – ist da nicht Musik?«

Er stand auf und stellte die Klimaanlage ab. Nun konnten sie beide ganz deutlich Glockengeläut hören.

»Natürlich, es ist ja Sonntag«, sagte er.

Plötzlich begannen die Hunde wie rasend zu bellen. Kurz darauf schellte es. Herta Köberle fuhr hoch. Sie starrten einander an.

»Wer mag das sein?« flüsterte sie. »So früh?«

»Das ist Victor«, rief er und warf seinen Schlafrock um. »Victor oder Cecilia.«

Es schellte wieder, jetzt zweimal kurz nacheinander.

»Wenn es Victor ist, dann stell dich darauf ein, daß er deine Uhr und die Börse nicht mitbringt«, sagte sie besorgt.

»So sicher ist das nicht«, sagte er munter. »Es gibt Zufälle. Vielleicht habe ich Glück –«

Mit wehendem Schlafrock eilte er hinaus. Sie hörte es wieder schellen, hörte die Hunde toben. Ein Gedanke durchzuckte sie.

»Kurt!« rief sie ihrem Mann nach. »Warte, Kurt! Die Hunde – warum bellen die Hunde, wenn es Victor ist? Und er hat doch einen Hausschlüssel!«

Aber ihre Rufe erreichten ihn nicht mehr. Schon war er in der Eingangshalle, ließ sie weit offenstehen und ging erwartungsvoll auf das Gartentor zu, am Zwinger vorbei, in dem die Hunde rasten. Aber nicht nur Tarzan und Blacky bellten. In der ganzen Nachbarschaft schienen die Hunde in Aufruhr geraten zu sein.

Kurt Köberle fiel nichts Ungewöhnliches auf. Ihn trieben plötzliche Ungeduld und Neugier vorwärts: Hatte Victor die Uhr oder nicht? Er entriegelte das Tor und riß es auf.

Vor ihm stand eine Horde von Kindern: dreißig, vierzig, vielleicht noch mehr. Sie drängten sich ihm entgegen und an ihm vorbei, ehe er sich von seiner Verblüffung erholt hatte und das Tor zuschlagen konnte. Vorneweg stürmten mehrere halbwüchsige Jungen, aus deren Gesichtern die Kindheit schon fast gewichen war. Ihnen folgte ein Schwarm jüngerer Kinder. Auch Drei- und Vierjährige waren darunter. Flüchtig tauchte Carlitos' spitzbübisches Gesicht auf. Die Nachhut bildeten ein paar ältere Mädchen mit Säuglingen und Kleinkindern auf den Armen. Marias große Schwester war unter ihnen. Inmitten einer Horde kleiner Triefnasen, die noch den Schutz der Großen suchten, hinkte sie auf die Villa zu. Sie trug nicht nur das silberne Kettchen, sondern auch das neue Hemd. Triumphgeschrei übertönte das Hundegebell.

Kurt Köberle lief rot an.

»Halt!« schrie er empört und stürzte hinter den Kindern her. »Halt, sage ich. Hier kommt keiner rein!«

Aber niemand bemühte sich, ihn zu verstehen. Niemand beachtete ihn. Schon drängten sich die ersten Kinder durch die Tür der Eingangshalle. Mit ausgebreiteten Armen versuchte Kurt Köberle den Ansturm auf der Schwelle aufzuhalten. Ein paar Große schoben ihn weg. Der Rüdeste unter ihnen, ein schlaksiger Bursche mit einer Hasenscharte, drückte ihn gegen den Türrahmen und machte den Kleinen Zeichen, hereinzukommen.

Nun ergoß sich der Schwarm ins Wohnzimmer. Kurt Köberle zitterte vor Zorn. Seine Stimme überschlug sich.

»Raus hier!« brüllte er. »Dreckbande! Mob!«

Für einen Augenblick staute sich die Horde zurück,

denn im Wohnzimmer erschien schreckensbleich Herta Köberle im Morgenmantel über dem Nachthemd. Abwehrend hob sie die Hände. Mit zitternden Fingern setzte sie sich ihre Brille auf.

Beider Blicke trafen sich.

»Geh weg! Geh in dein Zimmer und schließ die Tür zu!« rief er ihr zu.

Aber im Lärm der Kinder und Hunde ging seine Stimme unter. Es erboste ihn, daß sie ihn nicht verstand. Er machte ihr energische Zeichen, ebenso wie sie ihm.

»Reg dich nicht auf, Kurt, um Himmels willen, dein Herz!« rief sie.

Da er sie nicht verstand, versuchte sie, sich einen Weg durch das Getümmel zu bahnen, um ihn vor dem Unbegreiflichen, das hier geschah, in Sicherheit zu bringen. Auf halbem Weg entdeckte sie Maria zwischen all den Kindern, die neugierig im Wohnzimmer herumwieselten und alles betrachteten und betasteten. Maria riß gerade einem anderen Mädchen die Sofapuppe aus den Armen und kam nun mit ihrem Gefolge auf Herta Köberle zugelaufen.

»Maria«, stammelte sie, »was soll das alles? Was habt ihr vor?«

Aber Maria meinte gar nicht sie, sondern schoß an ihr vorüber in den Flur des Gästeflügels. Nur ein strahlender Blick, der Einverständnis voraussetzte, streifte sie. Es war der stolze Blick einer Privilegierten, die die Wunder des Badezimmers vorführen wollte.

»Nein!« rief Herta Köberle und scheuchte sie ins Wohnzimmer zurück. »Du solltest dich schämen, Maria, so einen Haufen Gassenkinder hereinzulocken!«

Maria sah sie bestürzt an. Aber schon wurde Herta Köberles Aufmerksamkeit von einem der großen Jungen abgelenkt, den sie durch die Halle hinauslaufen sah. Sie lief ihm bis zu den Stufen nach. Er rannte zum Gartentor, das noch weit offenstand, schlug es zu und verriegelte es. Um die Hunde, die hinter dem Gitter nach ihm schnappten, kümmerte er sich ebensowenig wie um Herta Köberle. Es war ein hübscher Mulatte mit großen Augen. Kaum ins Wohnzimmer zurückgekehrt, schrie er: »A comer!«

und winkte die Kinder in die Küche. Wie elektrisiert ließen sie alles stehen und liegen und rannten zu ihm. Vergeblich versuchte Kurt Köberle, die Horde von der Küche fernzuhalten. Aber sie war hungrig.

»A comer! A comer!« Er mußte weichen. Herta Köberle packte seinen Arm.

»Laß sie jetzt essen, Kurt«, rief sie. »Bevor sie satt sind, werden sie nicht freiwillig fortgehen. Ich fürchte nur, es ist nicht mehr genug da, sie satt zu bekommen.«

»Geh weg!« herrschte er sie an. »Geh in dein Zimmer. Ich werde schon mit ihnen fertig.«

Ihr Zimmer. Alle Zimmer. Sie waren offen! Sie lief in den Gästetrakt und schloß mit zitternden Fingern ein Zimmer nach dem anderen ab, auch das Badezimmer. Als sie vor der Tür ihres eigenen Zimmers stand, überlegte sie einen Augenblick, ob sie die Atempause dazu nutzen sollte, sich schnell anzuziehen. Aber da hörte sie ihren Mann drüben in der Küche wütend schimpfen.

Hastig steckte sie die Schlüssel ein und lief ins Wohnzimmer, um auch die breite Flurtür abzuschließen. Der Gästeflügel mußte vor der Neugier der Kinder geschützt werden! Aber der Schlüssel der Flurtür steckte nicht im Schloß, und Herta Köberle wußte nicht, wo Jutta und Ernesto die Schlüssel des Hauses aufbewahrten. So schob sie nur hastig einen der schweren Sessel vor die Flurmündung und lief dann zur Küche, um ihrem Mann beizustehen.

Der Morgen war windig. Die Brandung toste. Manche Welle rollte bis zum Weg hinauf. Langsam schaukelte der Mercedes über die Schlaglöcher, viel zu langsam für Victor. Er mußte sich scharf konzentrieren, um den Wagen zu schonen. Schweiß lief ihm über die Schläfen. Er schaute nervös auf die Uhr. Wie mochten die beiden Deutschen ohne ihn zurechtgekommen sein? Was, wenn jemand in dieser Nacht die Hunde vergiftet hatte, um ungestört in die Villa einsteigen zu können?

»Ich bin verrückt«, sagte er laut. »Was soll denn schon passiert sein? Und Osorio wird einem ehemaligen Kollegen nicht den Boden unter den Füßen wegziehen.«

Er hoffte, keinem Wagen zu begegnen, als er dorthin kam, wo sich die Küste zwischen Steilhang und Meer zu einem schmalen Streifen verengte: Das hätte ein umständliches Manöver bedeutet und viel Zeit gekostet. Und er hoffte, daß alle Kinder des Viertels noch schliefen oder, wenn sie schon zwischen den Hütten herumwieselten, keine Nägel und Reißzwecken in der Hand hatten.

Er hatte Glück: Zwischen den Hütten unter der Steilwand rührte sich noch kaum jemand. Weit und breit waren keine Kinder zu sehen. Er schaute auf die Uhr: zehn nach sieben.

Aber was, wenn sich der Taxifahrer geweigert hatte, seinem Wagen diesen elenden Weg zuzumuten? Wenn Gregorio und Marc Antonio sich unterwegs entschlossen hatten, woanders hinzufahren?

Schon von weitem sah Victor auf dem Fassadenaufsatz die bunte, handgemalte Inschrift prangen: »El Paraiso«. Der Maler hatte den Rest der Farben auf der Frontseite der Holzbaracke verbraucht: Auf den Brettern verwitterte ein kugeliger Apfelbaum mit orangefarbenen Früchten, dessen Stamm von einer lachenden Schlange umwunden wurde. Der Baum stand auf einer üppig blühenden Wiese. Gewaltige Schmetterlinge gaukelten über ihn dahin, versehen mit Mädchennamen, die aber schon so verblaßt waren, daß man sie kaum noch entziffern konnte.

Neben der an der Felswand klebenden Baracke parkten unter einem Schattendach aus Schilf zwei Wagen – ältere Modelle, einer davon ziemlich ramponiert. Victor stellte den Mercedes ab und rannte auf den Eingang zu. Auf den

Betonstufen wischte eine schlaffbäuchige Frau gerade einen Eimer aus. Als sie den Mann kommen sah, huschte sie schnell in einen Seiteneingang.

Die Tür des »Paraiso« war nur angelehnt. Es gab keinen Flur. Victor hastete in einen kahlen Raum mit verstaubten Papiergirlanden an der Decke und schäbigen Gardinen vor den Fenstern. Auf dem frischgeputzten Betonboden sammelten sich Fliegenschwärme. Ein Ventilator schwirrte in einem Wandloch. Runde Tische und eiserne Klappstühle standen herum. Es roch nach billigem Parfüm. Aus einem Radio auf einem Wandbrett ertönte überlaut und gefühlvoll, abwechselnd von einer Männer- und einer Frauenstimme beteuert: »Y tú, y tú, y solamente tú – y nadie más que tú –«

Drei Tische waren besetzt. An zweien saß jeweils ein Mann allein, beide mit mürrischem Gesicht. Am dritten Tisch entdeckte Victor Marc Antonio im Unterhemd zwischen zwei Frauen. Ihm gegenüber saß ein Mann, der unbändig lachte und seine Hand auf den halbentblößten Rücken der Frau klatschte, die Marc Antonio gerade einen Kaffee eingoß.

»Ein guter Witz, Alberta«, prustete er.

»Gregorio«, kreischte sie, »muß das sein? Jetzt hab ich den Kaffee verschüttet!«

Sie stellte die Kanne ab, setzte sich auf Marc Antonios bekleckertes Hosenbein, rutschte unter Gregorios Gelächter ein paarmal hin und her und sagte: »So. Auf dem Getigerten sieht man's nicht. Und es muß sowieso in die Wäsche.«

Marc Antonio reagierte weder auf den Witz noch auf den verschütteten Kaffee. Er reagierte auch nicht, als Alberta ihm, während sie sich wieder von seinem Bein erhob, die Wange tätschelte und zärtlich-spöttisch sagte: »Mein Armer. Heute nacht so ein Macho und jetzt das heulende Elend. Kotz dich leer, wein dich aus. Dann kannst du's wieder für 'ne Weile ertragen, dieses Hundeleben.«

Die zweite Frau hatte sich erhoben, als Victor eingetreten war. Sie setzte ein Lächeln auf, während er sich dem Tisch näherte, und rief in den Flur im Hintergrund: »Besuch, Doña Ofelia!«

»Komm«, sagte Victor, schob die Hände von hinten unter Marc Antonios Achselhöhlen und zerrte ihn aus seinem Stuhl. »Ich hab den Mercedes draußen stehen. Ich kann ihn nicht aus den Augen lassen –«

Geschrei hallte Herta Köberle entgegen. In der Küche herrschte ein wüstes Gedränge. Die Schranktüren waren aufgerissen, Besteck lag auf dem Boden verstreut zwischen Zwiebeln und rohen Kartoffeln. Bloße Kinderfüße tappten durch Pfützen von Milch und Obstsaft. Ein kleiner Junge lag platt auf den Fliesen und schlürfte Milch auf. Es roch nach Wein. Flaschenscherben lagen unter dem Küchentisch. Der Kühlschrank stand offen. Er war gähnend leer. Kinder drängten sich lärmend vor ihm, kratzten mit den Fingernägeln die Eiskristalle aus dem Gefrierfach und zeigten sie als Wunder herum, bevor sie sie aufleckten. Ein großes Mädchen leerte eine Tüte mit Bohnen in ihr Tuch und knüpfte es zu einem Bündel zusammen. Ein Junge steckte zwei Packungen Zwieback in sein Hemd. Zwischen Herd und Tisch schlugen sich mehlbestäubte, marmeladebeschmierte Kinder um das halbe Weißbrot, das vom Vortag übriggeblieben war. Die Kleinen plärrten auf den Fliesen – umgerissen, hin und her gestoßen im Gedränge. In einem Winkel kauerte ein Mädchen, das selbstvergessen kaute. In der Hand hielt es ein Stück rohes Fleisch. Kurt Köberle stand mitten in dem Durcheinander und donnerte: »Hinaus, oder ich rufe die Polizei!«

Seine Frau drängte sich bis zu ihm durch und legte ihm die Hand auf die Schulter. Aber er schüttelte sie ab und kläffte weiter: »Abschaum! Kriminelles Untermenschengesindel! Laßt eure Pfoten von fremdem Eigentum!«

»Aber Kurt«, rief sie, »die Kinder verstehen dich doch nicht.«

»Laß mich«, sagte er heiser.

»Ich löse dich hier ab«, sagte sie. »Ich habe unsere Zimmer zugesperrt. Schließ du die Zimmer von Jutta und Ernesto ab. Sperr, wenn's geht, den ganzen Flügel zu. Die Schlüssel werden in den Türen stecken. Vergiß nicht, die Schlüssel mitzubringen.«

»Halt mich jetzt nicht mit deinen Schlüsseln auf!« schnauzte er sie an. »Die Polizei muß verständigt werden!«

»Gut, Kurt«, sagte sie und versuchte, Ruhe zu bewahren. »Dann geh auf die Straße hinaus und hol Hilfe.«

»Im Morgenrock und Pyjama? Ich muß mich erst umziehen.«

»Hörst du nicht? Dein Zimmer ist zu!« entgegnete sie. »Da kannst du jetzt nicht hinein. Lauf, wie du bist.«

»Unmöglich!« schrie er. »Man würde mich ja für übergeschnappt halten. Gib mir den Schlüssel von meinem Zimmer!«

»Sei vernünftig, Kurt«, flehte sie ihn an.

»Kommandiere mich nicht rum«, schnaubte er erbost. »*Ich* bestimme, was zu tun ist!«

Zwei größere Jungen hatten inzwischen die Tür zur Mädchenkammer aufgerissen, sie aber wieder zugeworfen. Ihre Mienen zeigten, daß sie dort nichts Begehrenswertes entdeckt hatten.

»Gib meinen Schlüssel her!« herrschte Kurt Köberle seine Frau an.

»Du wirst die Kinder neugierig machen!« rief sie verzweifelt. »Und ich weiß auch nicht, welcher von den Schlüsseln es ist –«

»Dann gib mir alle!«

Sie sah sein zorngerötetes Gesicht und wagte nicht, sich ihm noch länger zu widersetzen. So händigte sie ihm die Schlüssel des Gästeflügels aus und lief zum entgegengesetzten Trakt. Bestürzt sah sie, daß nur ein schwerer Vorhang den Flur vom Eßzimmer trennte und daß auch in den Türen zu Juttas Hobbyraum und Ernestos Arbeitszimmer kein Schlüssel steckte. So schloß sie nur die übrigen Räume ab.

Als der Lärm anschwoll, lief sie ins Wohnzimmer zurück. Maria schleppte noch immer die große Sofapuppe herum und verteidigte sie energisch gegen andere Mädchen. Ein paar Jungen hüpften johlend auf dem Sofa herum wie auf einem Trampolin. Einer von ihnen erbrach sich plötzlich über die gepolsterte Lehne. Unter schallendem Gelächter der Zuschauer taumelte er vom Sofa hinunter. Sofort nahm ein anderer seinen Platz ein. Das Sofa war nicht groß genug für alle, die hüpfen wollten. Nur die Stärksten konnten sich behaupten.

Herta Köberle stürzte auf sie zu. Jemand stieß einen Warnruf aus. Im Nu war das Sofa leer. Aber sie fand keine Zeit, es zu bewachen, denn der Hasenschartige machte sich am Plattenspieler zu schaffen. Kaum lief sie dorthin, um das teure Gerät vor Schaden zu bewahren, stürmten die Springer wieder das Sofa. Auch auf den Sesseln wurde jetzt gehüpft. Ein Sessel kippte um, Kinder purzelten lachend und schreiend übereinander.

Wo blieb ihr Mann? Zog er sich noch um, oder war er schon auf der Straße? Sie hastete an dem Sessel vorbei, den sie als Schranke vor den Flureingang gestellt hatte. Ihr Mann mußte ihn beiseite geschoben haben. Der Flur lag offen vor den Kindern. Und schon staute sich vor dem Badezimmer ein Schwarm, aus dem sie Carlitos' Stimme heraushörte. Die Kinder rüttelten an der Klinke und hämmerten gegen die verschlossene Tür. Auf der gegenüberliegenden Seite stand ihr Mann, immer noch im Schlafanzug, vor seiner Zimmertür und versuchte, den passenden Schlüssel zu finden. Auch er rüttelte an der Klinke und fluchte.

»Verdammte Schweinerei!« schrie er, als er sie kommen sah. »Sie wollen ins Badezimmer, und dein kleiner Teufel ist der Anführer!«

»Gib mir die Schlüssel«, sagte sie. »Es *muß* einer passen!«

Als er sie ihr reichte, drängte sich gerade ein großes Mädchen an ihm vorbei und stieß dabei gegen seinen Ellenbogen. Die Schlüssel fielen klirrend auf die Fliesen.

»Nein!« schrie Herta Köberle auf und bückte sich. Aber schon lagen ein paar Kinder auf dem Boden und grapschten nach den Schlüsseln. Kurt Köberle geriet außer sich und trat nach den Kinderhänden.

»Kurt«, schrie sie, »was tust du?«

Sie schob ihn beiseite. Und schon flog die Badezimmertür auf, und der ganze Schwarm zwängte sich in den engen Raum.

»Halt mich doch nicht fest!« schrie Kurt Köberle seine Frau an. »Ich muß sie aus dem Badezimmer holen!«

»Laß sie«, sagte sie. »Da ist sowieso nichts mehr zu retten. Lauf bitte auf die Straße – so, wie du bist. Suche nach einem Polizisten, läute an den Nachbartüren –«

Sie brach ab und lauschte zum Wohnzimmer hinüber. Auch ihr Mann hob den Kopf und horchte. Sie sahen einander entsetzt an. Dann lief Herta Köberle ins Wohnzimmer hinüber.

Die Kinder drängten sich um den Flügel. Jedes wollte

mit dem Finger auf eine Taste tippen. Bald tippten nicht mehr nur einzelne Finger. Jemand patschte mit der ganzen Hand, und schon trommelten Fäuste auf die Tastatur. Das mißtönende Konzert löste schrille Gesänge aus.

Herta Köberle drängte die Kinder weg und klappte den Deckel zu. Aber sie hatten alle Scheu verloren. Sie klappten den Deckel wieder auf und hämmerten weiter. Sie schnitten ihr Grimassen. Der hübsche Mulatte legte sich bäuchlings von hinten über das Instrument und spuckte unter dem Gelächter der Zuschauer auf die Tasten.

Herta Köberle kamen die Tränen. Wohin sie auch schaute, da veränderten sich Wohn- und Eßzimmer von Minute zu Minute, lösten sich auf. Der einzige ruhende Punkt in dem Chaos war der Hasenscharttige, der noch immer versunken vor dem Plattenspieler auf den Knien lag und dem ›Sommernachtstraum‹ vom vergangenen Abend lauschte. Der Junge hatte den Apparat wohl in Gang bekommen, aber offensichtlich nicht den Knopf gefunden, der die Lautstärke regulierte. Um in dem Lärm die verhaltene Musik hören zu können, mußte er sich tief über den Plattenspieler beugen. Er lauschte mit geschlossenen Augen.

Aus dem Flur des Gästetrakts hallte jetzt klägliches Kindergeschrei, übertönt von der wütenden Stimme ihres Mannes. Sie erschrak. Sie hatte ihn inzwischen auf der Straße geglaubt. Im Flur floß ihr Wasser entgegen. Eine große Lache stand vor der Badezimmertür.

»Ungeziefer!« hörte sie ihren Mann brüllen.

Der Saum ihres Nachthemds schleifte durch die Pfütze. Die Tür stand weit offen. In der Badewanne kauerten mehrere splitternackte Buben, darunter Carlitos, die Brause in der Hand. Die Dusche war ganz aufgedreht. Carlitos hatte den vollen Wasserstrahl auf ihren Mann gerichtet. Dem troff Wasser aus den Haaren ins Gesicht, aus dem Schlafrock, der an seinem Körper klebte, in die Hosenbeine seines Schlafanzugs. Mit einer langhalsigen Plastikflasche, die noch halb mit giftgrünem Kräuter-Gel gefüllt war, schlug er wütend auf die Kinder in der Wanne ein, die entsetzt kreischten.

»Kurt«, schrie sie, »es sind doch kleine Kinder!«

»Gebissen hat er mich!« brüllte er. »Mit aller Kraft

zugebissen! Tiere sind das – nicht nur Halbaffen, sondern Wölfe!«

»Du hättest ihn nicht schlagen dürfen.«

»Nicht schlagen dürfen?« schrie er empört. »Soll ich etwa untätig zuschauen, während er hier mit seiner Horde alles verdreckt und demoliert? Sieh dir das Spiegelschränkchen an!«

Sie beugte sich über die Wanne und drehte das Wasser ab. Carlitos duckte sich und bespritzte auch sie, bis der Strahl versiegte. Hastig kletterten die Kinder aus der Wanne und flüchteten. Nur Carlitos zögerte, die Brause loszulassen. Er schien nicht zu begreifen, was der Mann von ihm wollte, wohl aber, daß er ihn mit der Brause in Schach halten konnte. Während Herta Köberle ihre Brille trocken rieb, machte er sich daran, den Wasserhahn wieder aufzudrehen.

Aber da stürzte sich Kurt Köberle mit wutverzerrtem Gesicht auf ihn, packte ihn am Schopf und zerrte ihn aus der Wanne, während die Brause im schwappenden Wasser versank. Mit der freien Hand gab er ihm ein paar so kräftige Ohrfeigen, daß das gellende Angstgeschrei des Kindes jäh abbrach. Der kleine Körper wurde schlaff.

»Bist du wahnsinnig?« keuchte Herta Köberle und entriß ihm den Jungen. »Wenn du ihn jetzt umgebracht hast!«

»Man kann sich nicht alles gefallen lassen«, ächzte er. »Aber der ist nicht hin, glaub mir's. Dieses Geschmeiß ist ja nicht totzukriegen!«

Er riß den Jungen aus den Händen seiner Frau zu sich zurück, packte ihn unter den Armen und tauchte ihn bis zum Hals in die volle Wanne. Carlitos schnappte nach Luft und fing wieder an zu brüllen. Als Kurt Köberle ihm den Mund zuhalten wollte, biß er ihn, um blitzschnell aus der Wanne schlüpfen und an Herta Köberle vorbei aus der Tür huschen zu können. Sie sah noch, wie er draußen auf dem Flur seiner großen Schwester, der Hinkenden, in die Arme lief, die ihm offenbar auf sein Angstgeschrei hin hatte zu Hilfe kommen wollen. Sie zog ihn an sich, küßte ihn und wischte ihm mit ihrem schmutzigen Rock zärtlich übers Gesicht, während sie über seinen Kopf hinweg Herta Köberle einen gehässigen Blick zuwarf. Dann legte sie den Arm um ihn und führte ihn ins Wohnzimmer.

»Warum bist du nicht auf die Straße gegangen?« fragte Herta Köberle verzweifelt. »Jetzt wird Carlitos den anderen erzählen, daß du ihn erschlagen und ertränken wolltest. Was wird das für ein Ende nehmen?«

Bevor Kurt Köberle antworten konnte, näherten sich Schritte. Es war nicht nur *ein* Kind. Es waren viele, die da kamen. Feindselige Gesichter erschienen im Türrahmen. Jemand brüllte etwas, dann flog die Tür zu. Der Schlüssel drehte sich im Schloß. Schritte entfernten sich, Gelächter verhallte.

Grunzend sank Marc Antonio in den Fond des Wagens und schlief augenblicklich ein. Gregorio setzte sich stumm neben Victor und starrte, als sie das Pfahlbauviertel verließen, in die Schaumberge der Brandung.

Stadteinwärts, wo der Steilhang flacher wurde, führte eine kurvenreiche Straße nach Bellavista hinauf. Victor spielte mit dem Gedanken, in diese Straße einzubiegen, um schnell einen Blick in die Villa zu werfen. Aber er fürchtete, der Deutsche könnte Marc Antonio und Gregorio im Wagen entdecken. Oder er könnte ihm verbieten, noch einmal fortzufahren. Oder er könnte ausfahren wollen und dabei den Verlust des Sterns bemerken. Und so fuhr er geradeaus weiter in den Hafenvorort, wo er Gregorio absetzte.

Auf halbem Weg nach San Jacinto begann Marc Antonio plötzlich zu würgen und erbrach sich, bevor Victor halten und ihn hinauszerren konnte.

»Bist du wahnsinnig?« schrie Victor. »In Don Ernestos Wagen zu kotzen! Wie soll ich die Schweinerei rauskriegen? Das riecht man doch! Konntest du dich nicht wenigstens aus dem Fenster beugen?«

»Sei du erst mal so voll wie ich«, ächzte Marc Antonio, »und dann finde Fenster und Kurbel so schnell! Löte dir doch deinen Scheiß-Mercedesstern selbst an, wenn dir der Wagen zu schade für mich ist!«

»Schon gut, schon gut«, knurrte Victor. »Du weißt doch, daß ich auf dich angewiesen bin. Es ist nur, weil ich entlassen werde, wenn Don Ernesto merkt, daß Fremde in seinem Wagen gesessen haben.«

»Meinst du, ich hab *gern* in seinen Wagen gekotzt?« fragte Marc Antonio, schon halb besänftigt, und rülpste herzhaft. »Allerdings täte ich das mit Vergnügen, wenn's nicht auf *deine* Kosten ginge.«

»Ich hab schon mal geträumt, ich hätte Don Ernesto angekotzt«, sagte Victor. »Ein feiner Traum. Am nächsten Tag war ich bester Laune.«

»Ich schick dir Olivia in den Wagen«, sagte Marc Antonio versöhnt. »Die putzt so gründlich, da siehst und riechst du nichts mehr davon. Wie weggeleckt die ganze Sauerei!«

Victor hatte am Straßenrand gehalten. Er stieg aus und

öffnete den hinteren Schlag. Er ließ sich seinen Schrecken beim Anblick des Erbrochenen auf Sitz und Boden nicht anmerken. Es roch widerlich.

Von einer Toilettenpapierrolle, die er im Wagen mitzuführen hatte, riß er lange Streifen ab und wischte damit das Gröbste weg, während Marc Antonio in die andere Ecke rutschte, stöhnend den Kopf nach hinten sinken ließ und die Augen schloß.

»Fahr weiter«, seufzte er, »sonst trocknet noch alles an, bevor Olivia sich darübermachen kann. Und ich muß heim. Ich muß mich waschen. Mir ekelt vor mir selbst.«

»Mein Gott«, rief Victor, »es ist schon Viertel vor acht! Wann werde ich hinaus nach Bellavista kommen?«

»Eine tolle Uhr hast du«, sagte Marc Antonio blinzelnd. »Sie ist mir schon gestern aufgefallen. Wenn du dir so was leisten kannst, ist es nicht so schlecht um dich bestellt, wie du tust.«

»Es ist nicht meine«, sagte Victor finster. »Sie gehört dem deutschen Schwiegervater.«

Er warf den Berg zusammengeknüllten Papiers in die nächste Mülltonne und setzte sich wieder hinter das Steuer.

»Probier doch lieber, hier am Straßenrand loszuwerden, was du noch drin hast«, sagte er grimmig.

»Es ist längst alles raus«, antwortete Marc Antonio dumpf. »Jetzt könnt ich auch mit dem Kopf nach unten fahren.«

Die Köberles sahen einander bestürzt an.

»Sie haben uns eingesperrt«, flüsterte sie.

Er warf sich gegen die Tür, aber sie gab nicht nach. »Hör auf«, sagte sie. »Die Tür ist stabil. Die hält. Wir müssen abwarten. Die Kinder werden froh sein, daß sie uns los sind, und ich bin's auch: Jetzt kannst du dich wenigstens nicht mehr aufregen.«

»Du meinst, ich drehe hier Däumchen«, rief er erbost, »während die Rotznasen im Haus unserer Kinder ungestört wüten können?«

»Wir dürfen die Nerven nicht verlieren.« Sie zog den Stöpsel aus der Badewanne. »Wir sind ja noch nicht zu Schaden gekommen.«

»Nicht zu Schaden gekommen? Ich bin gebissen worden!« rief er. »Und ich triefe. Ich kann mich ja nicht einmal umziehen. Ich werde mir eine Lungenentzündung holen!«

»Zieh wenigstens Schlafrock und Pyjamajacke aus.«

Sie half ihm aus den Kleidern. Die Zähne klapperten ihm.

»Wir sollten das Fenster öffnen«, meinte sie. »Draußen ist's wärmer.«

Er hob den Hebel des Klappfensters hoch. Von draußen klang Kindergelächter herein.

»Jetzt sind sie im Garten«, rief er. »Ich wette, sie werden alle Rosen abreißen und ins Bassin pinkeln!«

»Sie werden baden. Laß sie. Dabei reagieren sie sich ab.«

»Ach, wärst du doch nicht auf den unseligen Gedanken gekommen, solches Gesindel ins Haus zu locken und zu hätscheln«, seufzte er.

»Und warum hast du's heute früh hereingelassen?«

Sie versuchte, auf den Deckel der Kloschüssel zu steigen, um aus dem Fenster zu spähen.

»Laß *mich* hinauf«, sagte er. »Dir wird doch so leicht schwindlig.«

Er kletterte mit Mühe, von ihr gestützt, auf die Schüssel und schaute durch den Spalt, der sich nach oben verbreiterte.

»Wahrhaftig, sie baden«, berichtete er. »Das ganze Pack hat sich ums Bassin geschart. Aber das sage ich dir:

Ernesto wird Rache üben! Er hat die besten Beziehungen zu Polizei und Militär. Er wird dem Kaff dort unten einen Denkzettel verpassen, daß es nie mehr wagen wird, seine Brut hierherauf zu schicken. Und er wird dafür sorgen, daß die Hauptträdelsführer in eine geschlossene Anstalt kommen, jawohl, samt deinem Carlitos! Er ist einer der Schlimmsten!«

»Laß mich auch hinaussehen«, sagte sie und setzte die Brille auf.

»Warte«, sagte er, »ich muß mir erst die Gesichter der Burschen einprägen. Keiner von ihnen soll ungeschoren davonkommen – keiner!«

Sie schob den Badehocker unter die andere Seitenspalte des Fensters und zog sich am Klapphebel hinauf. Sie konnte von dort aus nur einen Ausschnitt des Gartens sehen. Aber auch so sah sie eine Menge: Marias große Schwester mit dem Säugling auf dem Rücken stand abseits neben der Rosenrabatte. Sie beugte sich hier und dort über die Rosen, roch daran, verglich offenbar den Duft der gelben Rosen mit dem der roten. Dann brach sie eine halbgeöffnete gelbe Rosenknospe ab und steckte sie sich ins Haar. Sie schaute sich um und rief Maria herbei, die noch immer die Sofapuppe mit sich herumschleppte. Auch andere Mädchen kamen. Alle begannen sich zu schmücken. Sie steckten sich Rosen hinter die Ohren, ins Haar, an die zerlumpten Kleider. Die Große gab sogar dem Panchito auf dem Rücken eine Rose, deren Dornen sie sorgfältig entfernt hatte, in die winzige Hand, und er hielt den Stengel fest und wedelte damit hin und her. Maria schmückte Madame de Pompadour mit Rosen. Die kleine Schwester kam angelaufen. Sie hatte eines der runden Sofakissen unter dem Arm, die Jutta gehäkelt hatte. Herta Köberle seufzte.

»Was ist?« fragte ihr Mann. »Was siehst du?«

»Nichts«, antwortete sie schnell. »Ich kann von hier aus fast gar nichts sehen. Ab und zu ein vorüberlaufendes Kind, das ist alles.«

Sie verriet nichts davon, daß die Kinder draußen gerade auf ein neues, köstliches Spiel gekommen waren: Sie rollten Juttas und Ernestos Schallplatten über den

Rasen und ins Bassin. Ein paar Jungen sprangen johlend ins Wasser und tauchten danach.

Sie stieg hinab und setzte sich auf den Schemel. Ihr Herz raste: Ihr war in den Sinn gekommen, daß die Kinder im Besitz der Schlüssel zu ihrem Zimmer und dem ihres Mannes waren. Darin waren Scheckheft und Bargeld, Pässe und Rückflugscheine!

Ihre Gedanken wirbelten durcheinander. Sie starrte auf die gemusterten Fliesen und überlegte fieberhaft: Sollte sie den Kindern Geld im Tausch für die Schlüssel anbieten? Aber das Geld befand sich ja in den verschlossenen Zimmern.

»Eine Göre schiebt den Teewagen vor sich her«, rief ihr Mann, der wieder das Gesicht an den Fensterspalt gepreßt hatte, »und drei andere sitzen darauf. Das hält er doch nicht aus!«

Da sah sie unter dem Waschbecken etwas blinken: zwei Schlüssel. Sie bückte sich hastig. Unendlich erleichtert hob sie sie auf, während ihr Blick weiter über die Fliesen glitt. Ein Schlüssel steckte von außen in der Badezimmertür. Also fehlten noch drei. Sie ließ sich auf die Knie nieder und kroch auf allen vieren herum.

»Was machst du eigentlich da unten?« fragte er von oben. Aber schon war sein Interesse wieder bei dem, was draußen geschah. »Dein Carlitos beugt sich jetzt über die Brüstung und johlt hinunter. Wetten, daß gleich der ganze übrige Haufen auch über der Brüstung hängen wird. Wenn sie doch nur reihenweise runterfielen, dorthin, wo sie hingehören!«

»Kurt«, murmelte sie, »du wirst ja zu einem Ungeheuer –«

Auf seine Antwort achtete sie nicht mehr, denn sie hatte einen dritten Schlüssel unter dem Duschvorhang entdeckt. Mit äußerster Konzentration suchte sie nun Fliese um Fliese ab. Sollten die Kinder die beiden letzten Schlüssel mit hinausgenommen haben? Aber die kleinen Burschen waren nackt aus der Wanne geflüchtet. Ihre Lumpen lagen noch auf dem Fußboden verstreut. Sie untersuchte einen Fetzen nach dem anderen. Auch Carlitos' gelbe Hose war dabei. Sie fand nichts.

»Hörst du das Gejohle?« rief er. »Sie rufen die Alten.

Entdecken die, daß ihre Gören hier oben sind, werden sie auch raufkommen. Wenn wenigstens die Polizei auf das Gewimmel an der Brüstung aufmerksam würde! Aber dazu müßten sie sich in dem Kaff da unten aufhalten oder in einem Boot auf dem Meer. Womöglich würden sie das Ganze für einen Kindergeburtstag halten.«

»An einem Sonntagmorgen in aller Frühe?«

Sie hatte sich vom Boden erhoben und suchte den Rand der Badewanne ab. Da fiel ihr Blick auf den Spiegelschrank über dem Waschbecken. Der mittlere Spiegel war zertrümmert. Als sie die Scherben aus dem Becken hob, fand sie darunter ihre Armbanduhr, die sie am Abend zuvor auf das Wandbord gelegt hatte, und die beiden noch fehlenden Schlüssel.

Sie atmete auf. Sie fühlte sich wie erlöst. Nun waren wenigstens Pässe, Schecks und Flugscheine sicher. Sie und ihr Mann waren diesem Land nicht mehr ausgeliefert, konnten auf schnellstem Weg heimkehren, dorthin, wo etwas derartiges niemals passieren konnte, ja, unvorstellbar war.

»Laß uns morgen abreisen!« rief sie. »Ich bleibe keinen Tag länger als nötig hier.«

Er antwortete nicht, sondern starrte gebannt hinaus.

»Jetzt schleift einer die Flagge aus dem Haus«, berichtete er. »Die von der Wand im Wohnzimmer. Da – schon ist er sie los! Zwei große Gören reißen sie auseinander und drapieren sich die Hälften um die Hüften. Nicht einmal vor den heiligsten Dingen haben sie Respekt.«

Sie streifte sich ihre Uhr übers Handgelenk, während sie an die Abreise dachte.

»Das Messingkreuz haben sie auch herausgeholt«, sagte ihr Mann jetzt. »Sie halten es sicher für Gold. Gleich werden auch die anderen nach Gold suchen. Fangen sie erst einmal zu plündern an, finden Jutta und Ernesto morgen ein leeres Haus vor. Ich muß hier raus!«

Sie kletterte wieder auf ihren Schemel und spähte hinaus.

»Man müßte sie ablenken«, sagte sie. »Zum Beispiel mit Kasperletheater. Unseren Kindern habe ich oft Kasperletheater vorgespielt, erinnerst du dich? Sie waren immer ganz Auge und Ohr.«

»Ach, hör doch auf«, knurrte er. »Hier wird das Haus ausgeraubt, und du redest von Kasperletheater.«

In Herta Köberles Blickfeld tauchte ein Mädchen mit dem Kruzifix auf. Es lehnte die Figur vorsichtig gegen die Gartenmauer neben der Brüstung, holte einen Küchenschemel und stellte ihn vor die Mauer. Kurz darauf kam es mit der weißen Häkeldecke vom Couchtisch wieder, breitete sie über den Schemel und stellte das Kruzifix behutsam darauf. Andere Mädchen wurden aufmerksam, kamen heran und betrachteten das Arrangement andächtig. Dann stoben sie auseinander und kehrten mit Blumensträußen und blühenden Zweigen zurück, mit denen sie ihr improvisiertes Altärchen schmückten. Auch ein paar Vasen fanden sich ein, darunter die kostbare chinesische, die Jutta von ihrer Großtante Else geerbt hatte. Herta Köberle starrte mit angehaltenem Atem auf diese Vase, die mit einem Strauß Hibiskusblüten neben dem Schemel stand. Sie sah, wie die Mädchen die anderen Kinder herbeiwinkten.

»Kurt«, sagte sie überrascht, »sie plündern nicht. Sie beten.«

»Sie beten?« fragte er verblüfft. »Laß mich sehen.«

Sie stieg hinunter, und er machte einen Schritt von der Kloschüssel auf den Schemel hinüber.

»Vielleicht bedanken sie sich«, sagte sie.

»Wahrhaftig, sie beten«, murmelte er. »Sie sind friedlich geworden. Man könnte sich von dieser Szene fast rühren lassen.«

»Jetzt fernsehen«, sagte sie. »Ich wette, daß keines von ihnen daheim einen Fernseher hat. Ein Kinderprogramm, und sie würden sich nicht mehr mucksen.«

»So früh am Tag wird doch noch nichts gesendet.«

Sie seufzte und setzte sich auf den Rand der Wanne. Ihr wurde bewußt, daß sie sich an diesem Morgen noch nicht gewaschen hatte. Sie stand auf, putzte die Zähne und kämmte sich. Mehrmals ertappte sie sich dabei, daß sie in den Spiegel schaute, den es nicht mehr gab.

Ihr Mann hatte sich flüchtig nach ihr umgedreht. »Wie kannst du dich jetzt so seelenruhig kämmen?« fragte er ungehalten.

»Eine gute Frisur gibt mir Sicherheit«, antwortete sie.

»Da!« rief er aufgeregt. »Jetzt wird aus der frommen Szene doch noch eine Plünderung! Ich hab mir's ja gedacht, daß sie das Messing für Gold halten. Sie haben die Leine von den Wäschepfählen abgemacht und binden das Kruzifix daran. Es sieht ganz so aus, als wollten sie's in ihr Kaff hinunterlassen.«

»Sie holen den lieben Gott der Reichen zu sich.«

Er war auf die Kloschüssel zurückgekehrt. Von hier aus konnte er die Kinder an der Brüstung beobachten. Das Kruzifix verschwand über den Rand der Mauer.

»Wir müssen hier raus«, sagte er, stieg hinunter und bückte sich nach der Personenwaage, die neben dem Duschbecken auf dem Boden stand. Er hob sie auf und wog sie in den Händen. Es war ein älteres, gewichtiges Modell.

»Was hast du vor, Kurt?« fragte sie beunruhigt.

Er hörte nicht auf sie. Sein Gesicht verzerrte sich. Er wich bis zur Wand zurück, hob die Waage vor die Brust und rammte sie mit voller Wucht gegen die Tür. Die krachte und splitterte. Dreimal warf er sich dagegen. Beim ersten Stoß gab das Türfutter nach und brach auf, aber erst beim dritten entstand ein Loch, groß genug, um die Hand durchzuschieben und von außen den Schlüssel umzudrehen.

Er riß die Tür auf.

»Komm!« rief er seiner Frau zu, die wie gelähmt auf dem Schemel saß und die Schlüssel umklammert hielt. »Komm schon!«

Halbnackt, wie er war, stürzte er aus dem Badezimmer. Sie folgte ihm zögernd. Er kam ein paar Schritte zurück, packte sie am Handgelenk und zog sie hinter sich her.

Im Wohnzimmer prallten sie zurück: Das Sofa war über und über beschmutzt, Sessel waren umgestürzt. Bücher lagen herum, Seiten mit bunten Bildern waren aufgeschlagen.

»Der Perser«, jammerte Herta Köberle. »Sieh dir den Perser an!«

Er war mit dunklen Flecken übersät. Die eine Hälfte hatte sich mit Wasser vollgesogen. Mitten in einem zauberhaften Muster lag ein Haufen menschlicher Exkremente.

»Sie haben die kleinen Kinder auf den Teppich gesetzt«, klagte sie.

»Scheißen – ja, das können sie«, keuchte er.

Der Fernsehapparat stand umgekehrt auf seinem Platz. Seine Rückwand war halb abgelöst, Drähte hingen heraus. Auch die Stereoanlage schien zerstört zu sein. Der Arm des Plattenspielers hing seitlich schlaff hinab. Der Plattenschrank stand weit offen. Auf dem Teppich lagen ein paar Platten verstreut. Im Aquarium trieben in trübem Wasser Fische, mit dem Bauch nach oben.

»Herta«, rief Kurt Köberle, »es muß hier doch einen deutschen Konsul geben!«

Er stürzte zum Telefon, dessen Hörer an der Schnur vom Tischchen hinabbaumelte.

»Funktioniert es noch?« fragte sie mit angehaltenem Atem.

Er nickte, blätterte im Telefonbuch, fand die Nummer, wählte, sprach. Er sprach immer dringlicher, er schrie in den Apparat. Dann knallte er den Hörer auf die Gabel und fluchte.

»Irgendein Weib, das weder Deutsch noch Englisch versteht!«

»Es wird das Dienstmädchen gewesen sein«, sagte sie. »Es ist ja Sonntag. Der Konsul wird noch schlafen. Wir müssen es später noch einmal versuchen.«

»Wenn dann überhaupt noch etwas zu retten bleibt«, sagte er mit einem verzweifelten Blick in die Runde.

Sie spähte ängstlich durch die Terrassentür. Ein paar Jungen kamen auf die Villa zugelaufen.

»Sie kommen«, sagte sie.

»Schnell hinaus«, flüsterte er. »Schau dich nicht um.«

»Ist es nicht besser, ich bleibe hier?« fragte sie. »Vielleicht könnte ich sie ablenken, bis du Hilfe geholt hast –«

»Du allein mit dieser Bande? Kommt gar nicht in Frage!«

Er packte sie am Arm, zog sie in die Halle hinaus und von dort in den Vorgarten, wo sie von wildem Gebell empfangen wurden. Plötzlich blieb er stehen.

»Die Hunde«, murmelte er. »*Das* ist die Lösung.«

»Nein!« rief sie erschrocken und schaute zurück. Durch die weit offenstehende Tür der Halle konnte sie die Jungen sehen, die soeben durch die Terrassentür ins Wohnzimmer stürmten.

Aber es war zu spät. Ihr Mann hatte schon den Zwinger geöffnet, die beiden Hunde schossen heraus. Der eine preschte ins Haus, der andere sprang sie an, warf sie um und verbiß sich in ihrem Morgenrock. Sie schrie in Todesangst und warf die Arme schützend vor ihr Gesicht.

»Tarzan!« brüllte Kurt Köberle. Er stürzte sich von hinten auf den Hund und riß ihn am Halsband zurück. Der Hund jaulte wütend auf, fuhr herum und schnappte nach ihm. Im gleichen Augenblick schallte aus der Villa schrilles Angstgeschrei. Man hörte Blackys Gebell, das zu einem kläglichen Jaulen wurde. Tarzan antwortete und versuchte, sich von der Hand, die ihn hielt, loszureißen. Das Tier zerrte Kurt Köberle so ungestüm mit sich, daß er stolperte und fiel. Seine Hand löste sich vom Halsband. Mit Triumphgebell schoß der Hund ins Haus.

Auf allen vieren kroch der Mann zu seiner Frau hinüber. Ihr Kopf lag auf dem sorgsam aufgehäufelten Rosenbeet, das den Weg zum Tor säumte. Ihr Haar hatte sich in Rosenzweigen verfangen. Ein Dorn hatte ihre Stirn geritzt. Tränen rannen ihr über die Schläfen. Die Brille lag zerbrochen auf dem Kies. Sie schluchzte. Mit Fingern, die voller Erde waren, versuchte er, ihr die Tränen wegzuwischen.

»Ach, Herta«, seufzte er, »das habe ich nicht gewollt. Bist du verletzt?«

»Hilf mir auf die Füße«, ächzte sie.

Er hatte selbst eine Weile zu tun, bis er wieder auf den Beinen stand. Seine Hände, seine Knie zitterten. Er nestelte ihr die Zweige aus dem Haar, dann zog er sie hoch. Stöhnend schob sie Nachthemd und Morgenrock bis übers Knie hinauf. Auf dem welken Unterschenkel wurden die Spuren der Hundezähne sichtbar: bläuliche Druckstellen, Blutspuren. Ihre Frisur war zerrauft, ihr Gesicht mit Erde und Tränen verschmiert. Auf ihrem Rücken klebte Laub. Morgenrock und Nachthemd waren beschmutzt und an den Bißstellen zerfetzt.

Auch Kurt Köberle hatte gelitten: Seine Knie waren aufgeschürft, die Wunden bluteten, die Pyjamahose war zerrissen.

»Mein Rücken«, klagte sie. »Ich bin mit aller Wucht auf den Rücken gefallen!«

»Du hättest dich eben mehr mit den Hunden abgeben müssen«, sagte er unwirsch.

»Und wo sind sie jetzt?«

»Drinnen im Haus natürlich. Sie räumen auf.«

»Kurt!« rief sie und starrte ihn entsetzt an. »Du Unmensch!«

»Das ist doch Notwehr – oder etwa nicht?« entgegnete er gereizt. »Die Bande plündert und zerstört. Hörst du es? Gleich wird sie herausgeschossen kommen und Hals über Kopf verschwinden. Solche Hunde wirken Wunder, nicht nur bei Kindern. Daß sie mir nicht schon früher eingefallen sind! Wieviel Ärger, wieviel Schaden hätten wir uns allen erspart!«

Sie lauschte zum Haus hinüber.

»Hoffentlich kommt Victor bald«, seufzte er. »Es gibt viel für ihn zu tun.«

»Die Hunde müßten doch bellen«, murmelte sie. »Warum bellen sie nicht?«

»Sie werden die Horde in Schach halten. Das muß ich mir anschauen. Das schaue ich mir *gern* an!«

»Und ich, Kurt? Ich will das nicht sehen. Du weißt, beim Fernsehen muß ich immer die Augen schließen, wenn so etwas gezeigt wird. Und ich habe Angst vor den Hunden.«

»Geh vors Tor, bis ich die Hunde im Zwinger habe. Es dauert nicht lange. Sie gehorchen mir. Sie wissen, daß sie nicht auf die Straße dürfen. Das hat ihnen Ernesto anerzogen. Hundefänger gehen um.«

»Lange kann ich nicht auf der Straße bleiben«, sagte sie, während sie zum Tor hinkte, »sonst könnte mich jemand sehen – so unmöglich, wie ich jetzt aussehe.«

Aber er war schon im Haus verschwunden. Hinter ihm fiel die Tür ins Schloß. Sie öffnete das Tor und spähte auf die Straße. Sie war leer. Da verließ sie den Garten, achtete aber darauf, daß das Tor nicht zuschnappte. Sie hatte ja keinen Schlüssel bei sich.

Ihr Bein schmerzte. Sie fühlte sich elend.

Juanito war auf seinem Autoreifen eingeschlafen. Die Hupe des Mercedes weckte ihn. Strahlend öffnete er das Tor und hüpfte hinter dem Wagen her, der in den Hof fuhr. Victor sprang hinaus, riß den hinteren Schlag auf und half Marc Antonio aus dem Fond.

»Olivia!« brüllte Marc Antonio.

Erschrocken stürzte sie aus der Tür, den Kopf voll Lockenwickler.

»Mach den Sitz sauber«, knurrte er. »Hinten.«

Olivia beugte sich in den Wagen und fuhr zurück.

»Du Ferkel«, sagte sie. »Säufst dich voll und hast dein Vergnügen, und ich soll dann deinen Dreck wegputzen. Das ist doch –«

»Halt den Mund und mach dich dran«, donnerte er. »Sofort! Und so, daß es nicht mehr stinkt.«

Grollend verschwand sie hinter ihm im Haus und kehrte mit Eimer, Lappen und Bürste zurück. Ein kleines Kind kroch ihr plärrend nach. Drinnen rauschte die Dusche.

»Aber meine Seife ist mir zu schade für diese Schweinerei«, schimpfte Olivia. »Die kann Marcelina spendieren. Überhaupt – warum hilft Marcelina nicht mit? Dann geht's schneller.«

»Lauf heim, Juanito«, rief Victor, »lauf, so schnell du kannst, und sag ihr, sie soll herkommen – mit Seife.«

Juanito nickte eifrig und rannte davon.

»Duftende Seife!« rief Olivia ihm nach.

Das erste, was Kurt Köberle sah, war der tote Hund. Es war Blacky, die mit eingeschlagenem Schädel in einer Blutlache auf dem Perser lag. Ein Mulattenjunge stand noch mit seiner Waffe, einem Stuhl aus dem Speisezimmer, im Kreis der Zuschauer, die sich um den Kadaver drängten. Sein linkes Handgelenk war aufgerissen und blutete stark. Blut rann über den Boden. Die Kinder starrten den Mann finster an.

Er schaute sich um. Er suchte den zweiten Hund. Der konnte nur draußen im Garten sein. Hielt er dort die Kinder in Schach? Er hastete zur Terrassentür, mit dem unguten Gefühl, den Kindern den ungedeckten Rücken zuzuwenden. Hinter sich hörte er zornige Zurufe, die er nicht verstand.

Der Anblick, der sich ihm von der Terrasse aus bot, ließ ihn jedoch jede Vorsicht vergessen: Über den Rasen schleppte sich Tarzan, blutbesudelt und jämmerlich jaulend, zum Haus zurück. Er hinterließ eine Blutspur auf dem Rasen, die Hinterbeine zog er mühsam nach. Sie waren gelähmt. Offenbar hatte ihm jemand das Rückgrat zerschlagen.

»Tarzan«, stammelte er erschüttert und spürte, wie ihm Tränen in die Augen stiegen. Wie würde Ernesto diesen Verlust aufnehmen? Zwei rassereine Hunde, erschlagen wie Bastarde!

Tarzan winselte jämmerlich, sah ihn mit einem Blick an, der ihm ins Herz schnitt, und versuchte vergeblich, über den kleinen Hang die Terrasse zu erreichen. Vor einem Hibiskusbusch blieb er liegen.

Ihm war in sicherer Entfernung eine mit Steinen, Stökken und Latten bewaffnete Kinderschar gefolgt. Stumm näherte sie sich, die Augen auf das Tier gerichtet, das sich nicht mehr wehren konnte. Nur die Kleinsten, die noch nicht begriffen, daß hier eine Hinrichtung stattfand, krähten und lachten.

Aus dem hinteren Teil des Gartens aber tönte jammervolles Wehgeschrei: In dem Winkel, wo Trennmauer und Brüstung zusammentrafen, lehnte ein kleines Mädchen mit blutüberströmtem Kopf. Der Hund schien es ins Gesicht gebissen zu haben. Eine Halbwüchsige beugte sich über die Kleine und wischte das Blut mit ihrer Bluse ab.

Als sie sich für einen Augenblick erhob und mit der chinesischen Vase zum Bassin hinkte, um Wasser zu holen, erkannte er sie: Marias ältere Schwester mit dem grindigen Gesicht. Sie hüpfte mit grotesken Sprüngen über den Rasen. Ihr Gesicht war vor Kummer und Angst verzerrt. Auf ihrem Rücken hing das Bündel mit dem Säugling und hüpfte bei jedem Schritt mit.

Neben dem blutenden kleinen Mädchen lag ein anderes Kind im Gras. Nein, es waren zwei – ein größeres und ein kleineres, und beide lagen bäuchlings im Mauerschatten. Das größere war vollkommen nackt. Es blutete an der Schulter, am Gesäß, am Oberschenkel. Als es den Kopf hob und wimmerte, sah Kurt Köberle, daß es Carlitos war.

Ein paar Kinder kauerten um ihn herum. Maria streichelte ihm den Kopf. Dann redeten sie laut miteinander und schienen einen Entschluß zu fassen: Zwei von ihnen packten Carlitos unter den Achseln und schleiften ihn auf dem Bauch zum Bassin hinüber. Sein Klagegeschrei hallte durch den Garten. Es war ein Geschrei voller Protest und Empörung, ein Gebrüll voller Leben.

Um das dritte Kind, das an der Mauer im Gras lag, kümmerte sich niemand. Es trug einen gelben Rüschenrock, der sich hochbauschte. Blut war nicht zu sehen. Aber dieses kleine Mädchen rührte sich nicht, schrie nicht, mußte wohl tot sein.

Während Kurt Köberle gespannt hinüberschaute, ob das Kind nicht doch ein Lebenszeichen von sich gab, warf ihm jemand von hinten ein Tuch über den Kopf. Er versuchte, es abzustreifen, herunterzureißen. Es war weißer Damast: Das Tischtuch aus dem Eßzimmer, von dem er noch am vergangenen Abend gegessen hatte.

Er wehrte sich verzweifelt. Er bekam ein Ohr zu fassen und schleuderte das Kind, dem es gehörte, herum. Erst als ihm der Junge vor Schmerz und Wut die nackte Brust zerkratzte, ließ er los.

Er hatte keine Chance. Er hatte die ganze Horde gegen sich. Die großen Jungen waren schon kräftig. Sie drehten ihm die Arme auf den Rücken und banden ihm die Hände zusammen, obwohl er sich aufbäumte und nach allen Richtungen trat. Sie einigten sich durch Zurufe, dann zerrten und stießen sie ihn zu dem Goldregenbaum an der Terrasse. Dort rissen sie ihm das Tischtuch vom Kopf, drehten es zu einem Seil, schlangen es ihm um den Hals und verknoteten es in seinem Nacken. Die Enden des Seils banden sie um den Stamm. So ließen sie ihn stehen – als Hund an kürzester Leine.

Erst beschimpfte er die Kinder, dann fluchte er eine Weile vor sich hin, schließlich verstummte er erschöpft. Die Sonne stieg. Es wurde wärmer. Die ersten Mücken schwirrten.

Herta Köberle drückte sich gegen die Mauer. Sie genierte sich entsetzlich. Als sich zwei Passanten vom Ende der Straße her näherten, hinkte sie wieder in den Garten und schloß das Tor bis auf einen Spalt. Sollte sie sie anhalten und um Hilfe bitten? Aber während sie noch überlegte, wie sie sich ihnen verständlich machen sollte, waren sie am Tor vorübergegangen.

Sie schaute sich nach dem Haus um. Wo blieben die Kinder? Sie mußten doch jeden Augenblick, von den Hunden gehetzt, herausgestürmt kommen! Ihr fiel mit Schrecken ein, daß sie ihnen dann im Wege stände. So flüchtete sie wieder auf die Straße hinaus und drückte sich neben die Mülltonne.

Wieder erschien ein Passant. Sie konnte ihn ohne Brille nur verschwommen sehen. Als er näherkam, erkannte sie eine dicke Negerin, die einen flachen Korb mit Apfelsinen auf dem Kopf balancierte und die Frau mit einem gleichgültigen Blick streifte. Herta Köberle fühlte sich wie eine Bettlerin und wünschte sich, in der Erde versinken zu können. Vor dem nächsten Passanten floh sie wieder in den Garten.

Sie wurde unruhig. Aus dem Innern des Hauses hörte sie Kinderlärm. Sie wagte weder zu schellen noch zu klopfen. Sie schlich an der Hauswand entlang zur Garage, deren Tor sich öffnen ließ. Hier setzte sie sich auf einen staubigen Autoreifen und wartete. Irgend etwas war geschehen, das ihr Mann nicht vorausgesehen hatte – aber was?

Sie starrte auf die Hintertür der Garage. Die führte auf den Platz unter dem Feuerbaum. Sie wagte nicht, sie zu öffnen. Sie blieb auf dem Reifen sitzen. Von hier aus hatte sie Haustür, Zwinger und Gartentor im Auge.

Die Kinder schwärmten an Kurt Köberle vorbei, als wäre er gar nicht vorhanden. Nur ab und zu stellte sich eines der jüngeren vor ihn hin und musterte ihn, wie man ein gefangenes Tier betrachtet.

Er mußte aufrecht stehen, sonst würgte ihn das Tuch. Seine Handgelenke waren so zusammengebunden, daß er durch Zerren und Drehen die Fesseln nicht lösen konnte. Er tastete sie mit den Fingerspitzen ab. Es war ein Hundehalsband bester Qualität. Ernesto kaufte nichts Billiges.

Er dachte daran, um den Stamm zu kreisen, bis das Tuch zerschlissen sein würde. Aber dieses lächerliche Schauspiel wollte er den Kindern nicht bieten. Und so stand und schwitzte er in der zunehmenden Wärme. Fliegen setzten sich auf seine aufgeschundenen Knie und in seine Augenwinkel. Er mußte ununterbrochen den Kopf bewegen, um sie fortzuscheuchen. Das machte ihn müde.

Aus dem blauen Himmel senkte sich ein Geier herab. Zwei andere hockten bewegungslos auf dem First und starrten scheinbar gleichgültig herab. Ein vierter kreiste über dem Garten.

Die Hunde, dachte Kurt Köberle.

Er stöhnte vor Verzweiflung und Wut. Aber nur ein paar kleine Mädchen schauten sich verwundert nach ihm um. Ein vielleicht vierjähriges rotznasiges Ding kam sogar zutraulich auf ihn zu und tippte ihm mit seinem schmutzigen Finger auf die Brust. Er scheuchte es mit der gleichen Bewegung fort, mit der er auch die Fliegen zu verscheuchen suchte.

Durst quälte ihn. Er schaute zum Bassin hinüber. Dort wurde soeben Carlitos aus dem Wasser gezogen. Er weinte nicht mehr. Langsam hinkte er zur Terrasse hinauf und legte sich dort im Schatten des weit vorspringenden Daches auf den Bauch. Maria fächelte ihm mit einem Hibiskuszweig die Fliegen von den Wunden. Auch die Große hatte sich mit der verletzten kleinen Schwester auf dem Arm bei ihnen eingefunden. Sie schaukelte sie sanft und murmelte Beruhigendes. Die Augen der Kleinen waren geschlossen. Sie stöhnte jammervoll.

Kurt Köberle fiel das Kind mit dem gelben Rüschenrock ein, das neben Carlitos im Gras gelegen hatte. Er schaute hinüber zur Mauer. Ja, dort lag es noch immer. Es hatte seine Lage nicht verändert. Warum deckten die anderen es nicht zu? Schamlos, wie sie es in der prallen Sonne liegenließen. Die Geier würden es bald entdecken!

Pack ohne Herz, dachte Kurt Köberle.

Herta Köberle wurde in der Garage von ihren Ängsten gequält: Warum rief er nicht, wenn er nicht herauskommen konnte?

Sie stand auf und versuchte, einen Blick ins Haus zu werfen. Aber die Fenster lagen zu hoch. Die Küchentür war verschlossen. Die Haustür, die in die Eingangshalle führte, hatte eine Scheibe aus geriffeltem Mattglas, durch das sich nichts erkennen ließ. Und ohne Brille konnte sie sowieso aus größerer Entfernung nicht viel sehen. So hinkte sie wieder auf die Straße hinaus.

Sie schellte an der Nachbarvilla zur Linken. Ein Hund schlug an. Aber niemand ließ sich blicken. Sie überquerte die Straße und schellte am gegenüberliegenden Tor. Auch hier bellten Hunde. Eine heisere Frauenstimme fragte etwas hinter der Gartenmauer.

Herta Köberle verstand nichts, aber sie stammelte hastig ihre Bitte um Hilfe auf deutsch und englisch. Es wurde ein unverständliches Gestotter. Die Frauenstimme unterbrach es barsch und verstummte. Herta Köberle wagte nicht, noch einmal zu schellen. Sie klopfte an die Pforte des Nachbargartens. Ein alter Mann mit einem Gartenschlauch in der Hand öffnete das Tor spaltbreit und starrte sie mißtrauisch an.

»Helfen Sie uns, bitte!« bat sie und zeigte auf Ernestos Haus.

Aber der Alte schnauzte sie an und machte eine unmißverständliche Bewegung: Troll dich, hier wird nicht gebettelt!

Da hinkte sie die Straße hinunter, um einen Polizisten zu suchen.

Die Kinder hatten die Bar entdeckt. Johlend trugen sie volle Flaschen und Juttas Gläser auf die Terrasse. Niemand machte sich die Mühe, die Korken zu ziehen. Sie brachen den Flaschen den Hals ab und ließen sie von Mund zu Mund wandern. Manche Getränke waren scharf. Sie brachten die Kinder zum Husten.

Ein Kind begann mit den leeren Gläsern zu spielen. Es stellte sie in einer Reihe auf, stieß sie aneinander und lauschte verzückt dem zarten Klang. Als es dieses Spiels müde war, ließ es die Gläser über den Steingarten hinabrollen und lachte jedesmal hellauf, wenn eines zersprang. Ein Mädchen hob die Arme, schnalzte mit den Fingern und drehte sich mit wiegenden Schritten. Bald tanzte eine ganze Schar. Hände klatschten den Takt.

Die Sonne stieg. Die Krone des kleinen Goldregenbaumes warf nicht viel Schatten. Kurt Köberles Blick traf Maria. Sie kauerte neben ihren beiden Schwestern, strich der jüngeren die Strähnen aus dem Gesicht und blies auf die Wunden im blutverklebten Haar. Als er sie anstarrte, griff sie nach einem Glas, lief hinunter zum Bassin und füllte es mit Wasser. Vorsichtig trug sie es zu ihm, hielt es ihm an den Mund und kippte es langsam. Gierig trank er das schmutzige Wasser. Er schloß die Augen und verzog das Gesicht zu einer Grimasse, die nur noch Mund war. Er schlürfte und schluckte ohne Anstand und Scham.

»Danke«, stöhnte er auf deutsch, als er fertig war.

Sie nickte und lächelte. Dann lief sie zur Mauer hinüber, wo noch immer das Kind mit dem gelben Rüschenrock lag. Sie hob es hoch und drückte es an sich. Es war Madame de Pompadour.

Die Kinder hatten aufgehört zu tanzen und liefen nun mit Geschrei und Gelächter ins Haus. Nur die Große blieb mit der Verletzten auf der Terrasse zurück. Zwei Geier verließen, da es im Garten still geworden war, das Dach und landeten neben Tarzan. Aber sie wurden unruhig, als aus dem Innern des Hauses Gepolter drang. Dumpfe Schläge dröhnten. Holz krachte und splitterte. Träge flatterten die Geier auf das Dach zurück.

Ein paar Mädchen erschienen in der Terrassentür: Sie trugen lange Abendkleider und stöckelten in viel zu großen Schuhen. Eine Magere hielt sich einen Strandhut aus

Stroh auf dem Kopf fest. Sie schleppten Stöße von Bett- und Leibwäsche, andere trugen Kleiderbündel. Auf dem Weg über Terrasse und Rasen verloren sie Strümpfe, Taschentücher und Krawatten. Zwei kleine Jungen schleiften Säcke voll Schuhe hinter sich her. Ihnen folgte der Mulatte. Er hatte sich ein Küchentuch um das zerbissene Handgelenk gewickelt. Als er an Kurt Köberle vorüberkam, stülpte er ihm Ernestos Golfmütze schief auf den Kopf.

Noch mehr Kinder tauchten auf, beladen mit Bettzeug, eingerollten Teppichen, gerahmten Fotografien, Juttas Applikation – ja sogar mit Matratzen. Zwischen ihnen hüpfte Carlitos nackt herum, um den Hals eine seidene Krawatte, in jeder Hand eine Nachttischlampe mit nachschleifendem Kabel. Alle strebten zur Brüstung hinüber.

Von dort kam jetzt lautes Geschrei. Kurt Köberle sah, wie die Kinder ihre Beutestücke über die Mauer schoben und in die Tiefe kippten. Ernestos Hemden wurden in die Luft geschleudert, entfalteten sich, verschwanden flatternd. Ihnen folgten Juttas Kleider, die Schuhe, ein Wirbel von Unterwäsche, Hüten und Krawatten in wildem Durcheinander mit Decken, Kissen und Laken.

Das war plötzlich ein Rennen und Hasten, ein Hin und Her zwischen Villa und Abgrund! Wer seine Beute hinuntergeworfen hatte, lief ins Haus zurück und belud sich von neuem: Gleichgültig gab die Villa heraus, was sie barg, und so folgte nach und nach alles, was unzerbrechlich schien und nicht zu schwer war, um aus dem Haus geschafft zu werden.

Die Kinder trampelten Sträucher und Blumen nieder, sie hasteten und keuchten an dem Gefangenen vorbei. Maria lächelte ihm zu. In ihren Händen klimperte eine Spieluhr. Auch die große Schwester hinkte mit dem Säugling auf dem Rücken und der Verletzten auf den Armen vorüber. Sie war kaum wiederzuerkennen: Sie trug ein golddurchwirktes Abendkleid von Jutta, das um ihre mageren Hüften schlotterte. Die Säume schleiften auf der Erde. Um den Hals hatte sie sich drei Ketten aus Juttas Schmuckschatulle gewunden: echte Perlen, Lapislazuli und Korallen. Eine Kette aus feinem Goldfiligran trug sie wie ein Kränzchen oder eine Krone auf dem strähnigen

Haar. Die Rocktasche unter ihrer Kostümierung hatte sie mit Wollknäueln, Bändern und Garnrollen vollgestopft. Hinter ihr hüpfte eine Garnrolle an immer länger werdendem Faden über den Rasen. Den Kopf der Verletzten verbarg ein blütenweißes, mit Spitze umhäkeltes Batisttaschentuch.

Herta Köberle hinkte die Straße entlang. Immer wieder schaute sie sich um. Sie mußte sich den Rückweg einprägen. Die Adresse kannte sie auswendig. Sie hatte ja so viele Briefe an ihre Tochter geschrieben. Den Blicken der wenigen Passanten, denen sie begegnete, wich sie aus. Sie kam an die nächste Kreuzung, spähte in die Seitenstraße, hinkte weiter. Wo waren die vielen Polizisten, denen sie auf ihrer Spazierfahrt durch das Viertel begegnet waren? Hatte man denn *alle* in die Innenstadt beordert?

Der Biß schmerzte. Sie ging langsamer. Für einen Augenblick suchte sie nach einem Halt und stützte sich auf die nächste Mülltonne. Der Asphaltboden schien unter ihren Füßen zu schwanken. Nur eine Weile ausruhen. Gleich wollte sie weiter. Irgendwo *mußte* sie doch auf einen Polizisten stoßen!

In diesem Augenblick quietschten die Reifen eines Wagens hinter ihr. Sie hatte ihn nicht kommen hören. Eine Tür klappte. Sie hörte Schritte hinter sich und Männerstimmen. Als sie sich umdrehte, durchfuhr sie ein freudiger Schreck: Polizei! Ein Streifenwagen mit drei Polizisten hielt unmittelbar vor ihr!

Sie machte in paar Schritte auf sie zu und streckte die Arme nach ihnen aus. In ihrer Aufregung begann sie, Deutsch zu sprechen. Dann wechselte sie ins Englische über, wollte die Adresse nennen. Aber die Hausnummer – wie hieß die Hausnummer auf spanisch?

Sie ließen sie nicht ausreden. Sie faßten sie unter und zerrten sie zum Wagen. Es war ein Kastenwagen. Eine Schiebetür öffnete sich. Während sie noch zu begreifen suchte, wie es möglich war, daß die Polizisten sie so schnell verstanden hatten, erkannte sie entsetzt im Innern des Wagens zerlumpte, schmutzige Gestalten. Sie wollte sich umdrehen, wollte sich gegen dieses Mißverständnis verwahren. Aber schon wurde sie hochgehoben und in den dunklen Raum gestoßen. Hinter ihr schloß sich die Tür. Der Wagen setzte sich in Bewegung, rollte weiter, unterwegs auf Bettlerjagd: Säuberung des Viertels von unerwünschten Elementen.

Schweiß lief Kurt Köberle über das Gesicht, tropfte ihm auf die Brust. Es machte ihm Mühe zu atmen. Diese bleierne Müdigkeit! Sitzen dürfen. Liegen dürfen. Schlafen. Aufwachen aus einem Alptraum.

»Ich kann nicht mehr!« jammerte er. »Bindet mich los! Ich tu euch auch nichts. Wirklich, ich laß euch in Ruhe – mein Ehrenwort –«

Keines der Kinder drehte sich nach ihm um. Da verstummte er. Tränen rannen ihm über die Wangen.

Ein Junge stolperte aus dem Haus. Er schleppte einen Koffer. Kurt Köberle kannte diesen Koffer. Er gehörte seiner Frau. Der Junge schleifte ihn über die Stufen herab, an ihm vorüber. Mitten auf dem Weg zur Brüstung platzte der Koffer auf. Heraus rollten Schuhe, quollen Kleider und Unterwäsche, Briefpapier und Schmuck. Jedes dieser Kleider, jeden Schuh kannte Kurt Köberle. Und da kam auch die schwarze Nappa-Handtasche seiner Frau zum Vorschein. Scheckheft, Flugkarte und Reisepaß fielen heraus.

Er begann zu zittern. »Nein!« schrie er den Jungen an. Seine Stimme überschlug sich. Verzweifelt zerrte er an den Fesseln. »Nein! Das kannst du doch nicht machen! Wie können wir weg ohne unsere Pässe?«

Der Junge scharrte alles wieder in den Koffer, ließ ihn zuschnappen und schleppte ihn weiter, ohne sich um das verzweifelte Geschrei zu kümmern. Kurt Köberle mußte zusehen, wie das Kind den Koffer auf die Brüstung hob und ins Nichts kippte.

Eine große Übelkeit überkam ihn. Die Brüstung verschwamm vor seinen Augen. Er spürte, wie seine Knie nachgaben. Er nahm kaum mehr den Hasenscharrtigen wahr, der aus dem Haus taumelte und in der einen Hand seine Reisetasche, in der anderen die Kamera im Kreis schwang. Die Kamera prallte gegen den Rahmen der Terrassentür.

Victor preschte nach Bellavista hinauf. Der Stern prangte wieder auf dem Kühler. Sitze und Teppich des Wagens waren makellos sauber, wenn auch noch etwas feucht. Olivia und Marcelina hatten ihr Bestes getan. Der ganze Wagen duftete jetzt geradezu penetrant nach Flieder. Aber der Duft und die letzte Feuchtigkeit würden sich bis zum nächsten Morgen längst verflüchtigt haben.

Nun hatte zu guter Letzt doch noch alles geklappt. Freilich, Geld und Börse blieben verschwunden, und die Armbanduhr mußte für zwei Tausender und sechs Hunderter ausgelöst worden sein. Aber das würden die schon schlucken. Und daß er so spät kam, ließ sich mit dem Fest entschuldigen. Er warf einen Blick auf die Armbanduhr: acht Minuten nach neun.

Victor sah sofort, daß das Gartentor weit offen stand. Er ärgerte sich darüber. Was für ein Leichtsinn! Er stieg aus, schloß die Einfahrt auf und öffnete das Garagentor. Auch die rückwärtige Tür der Garage stand weit offen. Kanister, Schlauch und Rasenmäher fehlten. Ein alter Reifen lag mitten im Raum. Kopfschüttelnd räumte er ihn beiseite.

Als er zum Wagen zurückkehrte, wurde ihm die Stille bewußt. Er warf einen Blick zum Zwinger hinüber. Der war leer. Er fuhr den Wagen in die Garage, schloß Einfahrt und Garagentor und lief zur Eingangshalle hinüber, die ebenfalls weit offen stand. Auf dem Kies lag eine zerbrochene Brille.

Er sah das Stubenmädchen Cecilia nicht, das soeben, aus dem Urlaub zurückkehrend, durch das offene Tor hereinkam. Er stürzte ins Haus. Fast fiel er über die tote Blacky, die in einem Chaos von umgestürzten Möbeln, Scherben, verstreuten Akten aus Don Ernestos Arbeitszimmer lag.

»Señora!« schrie er. »Señor!«

Niemand antwortete. Er rannte auf die Terrasse hinaus. Geier flatterten von Tarzans Kadaver auf. Aber Victor sah nur den Mann, der mit eingeknickten Knien am Goldregenbaum hing, blaurot im Gesicht. Über ihm schaukelten die Zweige unter der Last der Geier.

Am folgenden Tag fand wieder ein Kinderbegräbnis unter dem Steilhang statt. Es war eine Dreijährige, die zu Grabe getragen wurde. Vor allem die älteste Schwester der Toten, eine hinkende Vierzehnjährige, weinte herzzerbrechend. Ein kleiner Zug Trauernder folgte dem Sarg. Ab und zu blickte einer hinauf. An einem Felsvorsprung über den Wellblechdächern hing ein bunter Sonnenschirm, und darüber, den Bewohnern des Viertels weder sichtbar noch erreichbar, blinkte, eingeklemmt in einer Steinspalte, ein Messing-Kruzifix in der Nachmittagssonne. Die Leine, an der es befestigt war, hatte sich im Geröll verheddert.

Der Ablauf des Begräbniszeremoniells wurde gestört durch die Polizei, die den winzigen Ort umstellte. Die Trauergemeinde stob auseinander. Einsam blieb der Sarg zurück.

Am übernächsten Tag stellte man in einem der städtischen Gefängnisse fest, daß eine dort eingelieferte ältere Frau, die man für eine irre Bettlerin gehalten hatte, mit der vermißten Deutschen identisch war. Einer Wärterin war die teure Armbanduhr dieser Frau aufgefallen. Man entschuldigte sich bei ihr und benachrichtigte Don Ernesto, der sie kurze Zeit später abholte.

Er saß selbst am Steuer.

Roswitha Quadflieg
Der Tod meines Bruders
Die subjektive Wahrnehmung einer Familie
Ein Bericht
109 Seiten. Geb.

Der Bruder ist verunglückt. An einem heißen Pfingstsonn-
tag auf einer norddeutschen Landstraße. Noch keine 34
Jahre alt. Ein fremdgewordener Bruder, der – anders als die
übrigen Geschwister – nie häuslich geworden ist in diesem
Leben. Eigentlich ein verhinderter Behinderter, ohne daß
es jemand hat wahrnehmen wollen…

»Es gibt Bücher, die man sich nicht beschreiben lassen
kann. Man muß sie selbst lesen. Das Erstlingswerk der
sechsunddreißigjährigen Schriftstellerin und Graphikerin
Roswitha Quadflieg ist so ein Fall. Ein schmaler Band,
die Sätze präzise gefeilt – ohne ein Wort zuviel oder zu-
wenig. Eine nüchterne Reflexion über das Leben und den
Tod, die sich in ihrer altmodischen Sprache wie schönste
Poesie liest.« Irene Mayer-List in der ZEIT

ARCHE

Gudrun Pausewang im dtv

Foto: Krautmann + Scheerer

Die Freiheit des Ramon Acosta

Der »Aussteiger« Ramon Acosta versucht mit seiner Freundin im Urwald zu überleben. Doch der Lebensunterhalt muß dem Wald und seinen Tieren, die eine ständige Bedrohung für den kleinen Acker sind, mühselig abgerungen werden. Das Paradies wird zur Hölle. Schließlich kommen auch noch Bulldozer, um den Urwald für einen neuen Flugplatz zu planieren.
dtv 10122

Kinderbesuch

Ein deutsches Ehepaar besucht seine in Südamerika lebende Tochter. Tief beeindruckt vom Reichtum des Schwiegersohns, stehen sie der Armut und dem Elend rund um das vornehme Villenviertel verständnislos gegenüber. Als sie eines Tages allein zu Hause sind, öffnen sie einem kleinen bettelnden Mädchen die Tür ...
dtv 10676

Guadalupe

Ein Mann treibt, an einem Baum geklammert, den großen Urwaldfluß hinab. Ein anderer rettet den schon Besinnungslosen. Erst später entdecken sie, daß sie eigentlich Feinde sind: Ihre Heimatländer, Bolivien und Paraguay, liegen miteinander im Krieg. Zunächst erklären sie sich gegenseitig zu Gefangenen, werden dann aber Freunde im gemeinsamen Kampf ums Überleben, bis sie schließlich doch wieder von der Realität des Krieges eingeholt werden.
dtv 10788

Der Weg nach Tongay

Durch eine südamerikanische Wüstenlandschaft führt der Weg einer alten Drehorgelspielerin, die sich in dem Wahlfahrtsort Tongay gute Einnahmen verspricht. Fast Unmenschliches fordert ihr diese Reise ab, auf der sie ein hergelaufener Hund begleitet, der zu ihrem ganzen Lebensinhalt wird.
dtv 10854

Pepe Amado

Die unglaubliche Geschichte eines Schwarzen in Südamerika, der wie ein Sklave gehalten wird, bis man ihm eines Tages einen Vulkan »schenkt«. Ein modernes Märchen, das von der Lüge und der Hoffnung auf Veränderung erzählt.
dtv 11088

Gabriel García Márquez im dtv

Laubsturm
Drei Menschen sitzen im Haus eines Selbstmörders und lassen in wechselnden Monologen die Vergangenheit an sich vorüberziehen. dtv 1432

Der Herbst des Patriarchen
García Márquez zeigt Allmacht und Schwäche einer Staatsmacht, die den Mangel an Legitimität mit Gewalt kompensiert. dtv 1537

Der Oberst hat niemand, der ihm schreibt
Ein kaltgestellter Oberst in einem kolumbianischen Dorf erkennt in seinem Hahn das Symbol der Hoffnung und des Widerstands.
dtv 1601

Die böse Stunde
Anonyme Schmähschriften bringen Unruhe in ein kolumbianisches Urwalddorf. Es kommt zu einer Schießerei. dtv 1717

Augen eines blauen Hundes
In diesen Erzählungen sind Einsamkeit und Tod allgegenwärtig, die Dimensionen Raum und Zeit weitgehend außer Kraft gesetzt.
dtv 10154

Hundert Jahre Einsamkeit
Die Geschichte vom Aufstieg und Niedergang der Familie Buendía und ihres Dorfes Macondo.
dtv 10249

Die Geiselnahme
Ein sandinistisches Guerillakommando preßt politische Gefangene aus den Folterkammern des Somoza-Regimes frei. dtv 10295

Bericht eines Schiffbrüchigen
Zehn Tage Hunger und Durst auf einem Floß allein in der Karibik, ständig in Angst vor den Haien. Eine wahre Geschichte.
dtv 10376

Chronik eines angekündigten Todes
Ein Mädchen wird in der Hochzeitsnacht nach Hause geschickt, weil es nicht mehr unberührt war. Seine Brüder beschließen, den angeblichen Verführer zu töten. Das Dorf sieht zu.
dtv 10564

Das Leichenbegängnis der Großen Mama
Acht humorvoll-groteske Erzählungen des kolumbianischen Nobelpreisträgers.
dtv 10880

Die unglaubliche und traurige Geschichte von der einfältigen Eréndira und ihrer herzlosen Großmutter
Sieben Erzählungen
dtv 10881